翻　訳　目　録

阿部大樹
タダジュン

雷鳥社

はじめに

翻訳を頼まれると厄介である。時代を遡って原文の書かれたころの辞書を探すところから仕事が始まる。古本屋に通わざるを得ない。文句を言いつつ、そんな肉体労働が好きだ。掻き集めるところから始まるのだ、語彙を。地層に埋もれていた辺鄙な語を嗅ぎつけると猟犬にでもなった気分である。野蛮な高揚。気に入ったモノにあたれば書き留めておく。日記帖か、あるいは収穫の記録のつもりで。そういう私的なノートに興味をもってしまう奇特なひともいるかもしれないと、あるとき変種の編集者が仕込んだ結果が本書である。

もともとは、見開き左頁に気になった言葉と
右にその翻訳というか翻案みたいなものだけ
並んでいた。ブック・デザイナーの宮古さん
版画家のタダさんと案を練っているうちに、
言い差したものが増えて、ぞぞぞと増殖して
この形に落ち着いた。語彙の一生を５章に。
付け加えておくとタダさんと知り合ったのは
ＴＨＵＭＢ　ＢＯＯＫ　ＰＲＥＳＳの片付け
（輪転機に挟まれた、膨大な日誌類の整理）
をしていた友人を介してである。理由あって
名前をここに挙げることはできないけれど、
この小さい本を旧友に捧げることにしたい。

目次

こ と ば
で
な い も の

De railroad bridge's A sad
De railroad bridge's
Ever time de trains pass

ブルースという、
綿花摘みの奴隷労働者たちから
生まれた詩の形式。
唄うことから生まれた詩は、
大胆な反復をもつことが多い。
ふと口をついて出てくる、
ことばの房のようなもの。

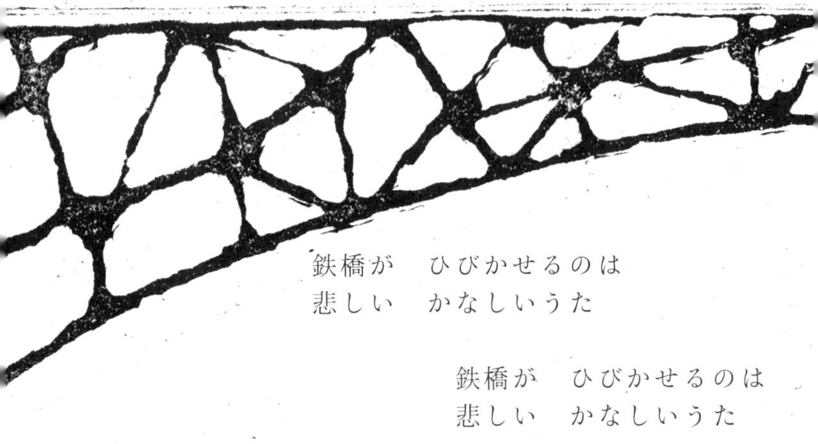

鉄橋が　ひびかせるのは
悲しい　かなしいうた

鉄橋が　ひびかせるのは
悲しい　かなしいうた

song in de air.
A sad song in de air.
I wants to go somewhere.

列車がとおってゆくたびに
ぼくはどっかへ　行きたくなるんだ

ROMEO

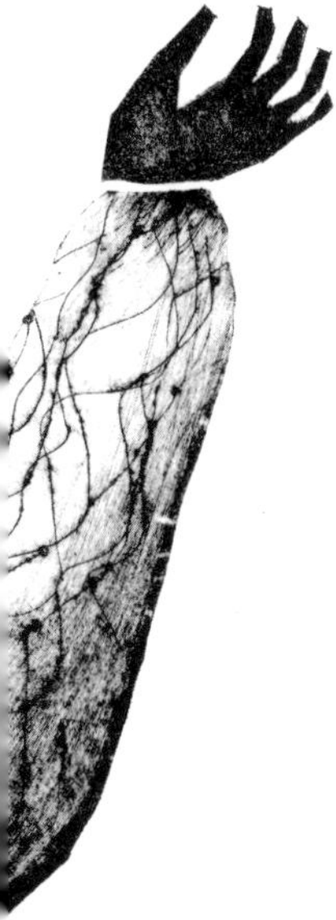

Love is a smoke raised with the fume of sighs;
戀《こひ》は溜息《ためいき》の蒸《ゆ》氣《げ》に立《た》つ濃《こ》い煙《けむり》、

Being purged, a fire sparkling in lovers' eyes;
激《げき》しては眼《め》の裡《うち》に火《ひ》花《ばな》を散《ち》らし、

Being vex'd a sea nourish'd with lovers' tears:
窮《きう》しては涙《なみだ》の雨《あめ》を以《もつ》て大海《おほうみ》の水量《みかさ》をも増《ま》す。

What is it else?
さて其外《そのほか》では、何《なん》であらうか？

シェイクスピアの書いたロミオの独白。
戯曲だから、文字ではなくて俳優の声が媒体になる。
言語を超えてセリフを移すことはできるだろうか。
一応のところ、頭韻や脚韻を再現するとか、
あるいは音節の数を揃えるとかの方法がとられることが普通だ。
同じ時代の同じようなレトリックに移すこともある。

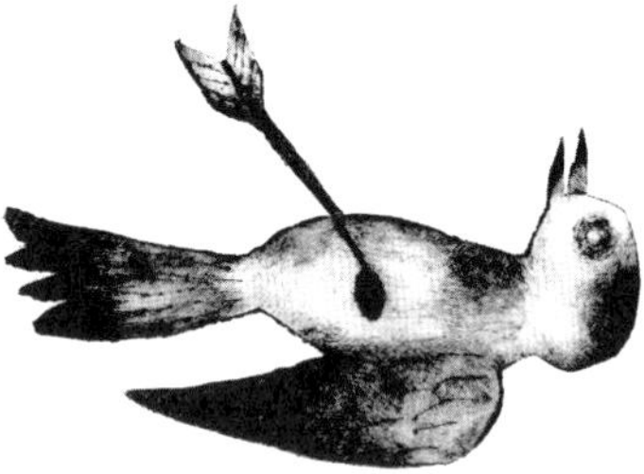

Who killed Cock Robin?
I, said the Sparrow,
with my bow and arrow,
I killed Cock Robin.

だれがころした、こまどりを？
「それはわたしよ」すずめがいった。
「わたしの弓で、わたしの羽で、
わたしがやったの、こまどりを」

マザーグースより、Who killed Cock Robin? の始まるところ。
第二行と第三行の脚韻がリズムをつくる。
同じリズムが全部で十四連、子供が覚えるにはちょっと長すぎるくらいに続く。
どうやら駒鳥が殺されたらしい。
そのあと、カブト虫、深山鴉、鳶、牡牛まで出てきて葬式の準備が進むが、
やはり駒鳥がどうして殺されたのかは分からない。
最後には鳥たちが集まって葬式をするけれども、
その最後の一連だけ韻を踏まない。
子供に覚えてもらっては困るようなことがあったのかもしれない。

Enharmonik　異名同音

ソの音を半音上げたときのソ♯と、
ラの音を半音下げたときのラ♭は同じ黒鍵である。
つまり同じ音が鳴っている。
同じ音でもこのように二つの名前があることは、
楽典の勉強をかじるときには難しいばかりでも、
作曲家にとっては転調する足掛かりとなって都合がいい。
異名同音が生じないような記譜法もできないではないけれども、
コトバはそれを実際に使う人にとって、
つまりここでは作曲家たちに便利なように作られていくのだ。

高高兴兴来上班，
平平安安回家去

北京で見かけた交通安全の標語。
余裕を持って安全運転で帰りましょう、の類。
お役所スローガンに独特な垢抜けない感じが、
たとえ言語が違っていても伝わってくるのが面白い。
ところで形容詞のなかで同じ音韻を重ねるとき、
中国語はAABBの形をとり、和語ではABABとなることが普通。
「明々白々」なんて日本語はごく例外的で、だからどことなく大陸の香りがする。

にこにこ通勤、
すいすい帰宅

∅　空集合

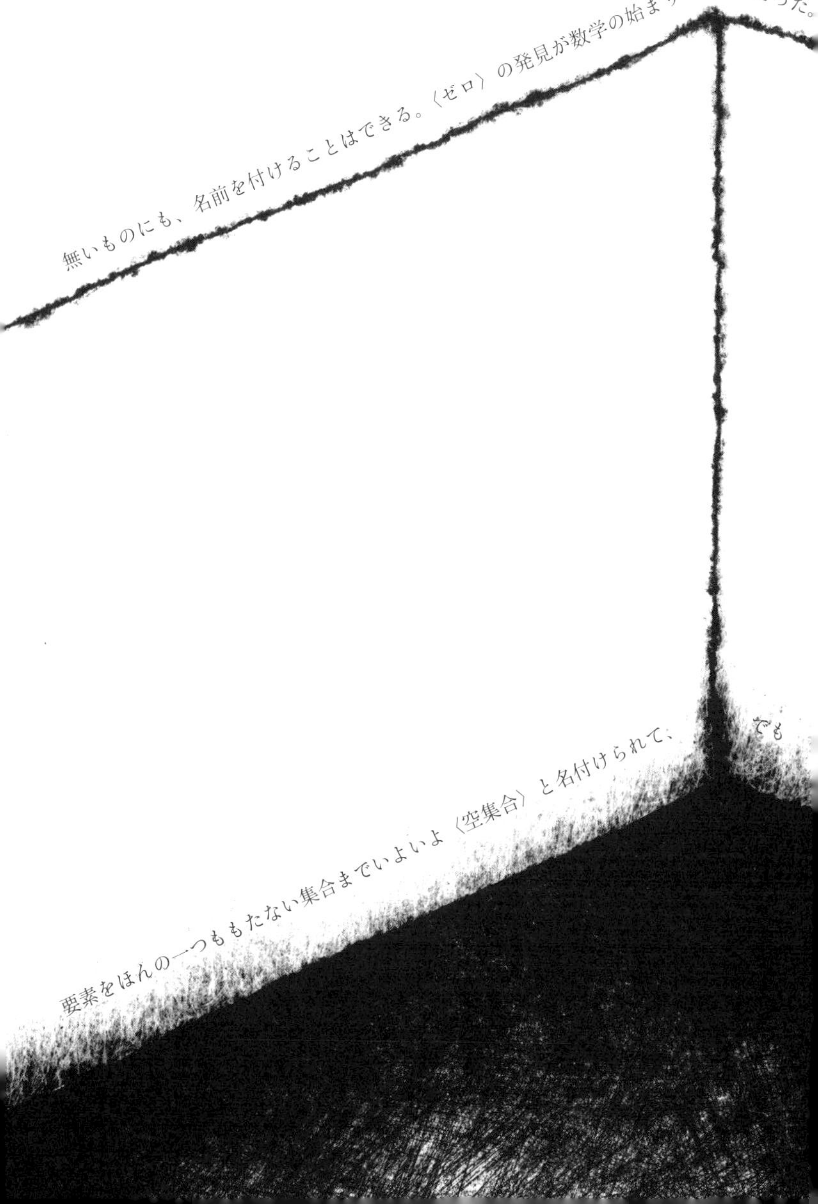

無いものにも、名前を付けることはできる。〈ゼロ〉の発見が数学の始まりだった。

要素をほんの一つももたない集合までいよいよ〈空集合〉と名付けられて、でも現実世界の裏側には、虚数の世界が広がっていると知られるようにもなった。

それなしでは論理学が成立しないような、とても重要な役割を果たすようになっている。

久方のアメリカ人のはじめにし
ベースボールは見れど飽かぬかも

far away
under the skies of America
they began
baseball—ah,
I could watch it forever!

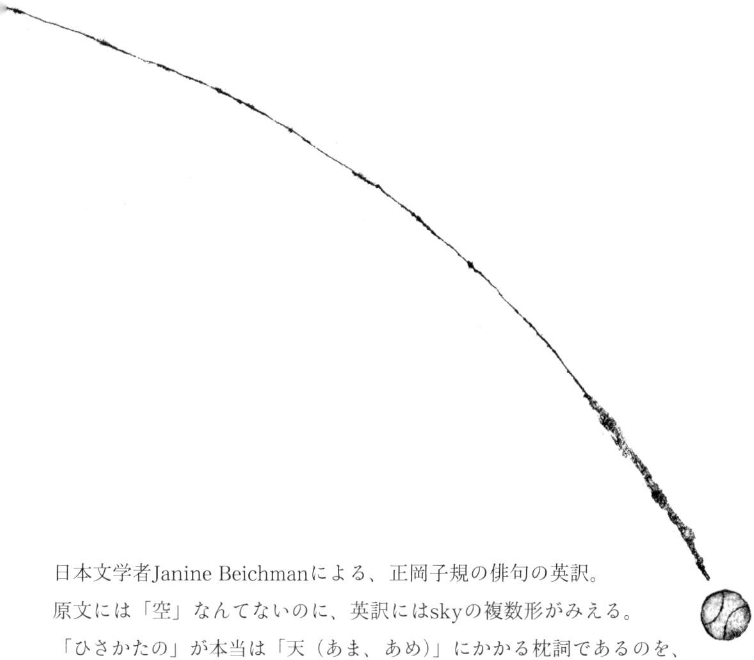

日本文学者Janine Beichmanによる、正岡子規の俳句の英訳。
原文には「空」なんてないのに、英訳にはskyの複数形がみえる。
「ひさかたの」が本当は「天（あま、あめ）」にかかる枕詞であるのを、
子規はアメリカにかけるという洒落をやっているから、
英訳はこれを拾い上げているのだ。

こころみに、この英訳をさらに翻訳してみようか。

とおく
アメリカの空に
はじまる
ベースボールをみている
秋はこない

Ev'rybody's talking about
Bagism, Shagism, Dragism, Madism, Ragism, Tagism,
This-ism, That-ism, ism ism...

どいつもこいつも
バッグ屋、シャグ派、
ドラァグ、マッド家、
ラグ主義、タグ説、
なんとかイズムにかんとかイズム…

-ismというのはなかなか難しい言葉で、

名詞のあとにくっついてその意味を拡張するのだけれど、

拡張の方向が一定しない。

Vampire（吸血鬼）に-ismがつけば

「吸血鬼の存在を信じること」だし、

「Alcoholismアルコール中毒」という医学用語もある。

きっとイズムなんてそんな程度のものだよと、

この歌詞には存在しない「イズム」ばかり

列挙されていて、そして最後に

「give peace a chance

それでもピースにチャンスを」で終わる。

わんわん
TAB

人類が最初に発した言葉は擬態語、つまりオノマトペであったとする説がある。
自由自在に新しい音で世界に名前を付けていく赤ん坊をみていると、なんとなくそうなのかなとも思われる。しかしそうだとすると、犬の鳴き声一つとっても世界中で違う音があてられているのはなぜだろうか。ロシアの仔犬は嬉しいときちあふちあふと鳴くらしい。

失　語　症

突飛なようだけれど、赤ん坊は忘れることによって言語を習得しているとみる
３歳ころまでの子供は、あらゆる音素をランダムに叫んだり呟いたり歌ったり
残される。つまりそれ以外の音が削りとられるように忘れられていくことで、

小児科医がいる。

する。そのうちで両親からレスポンスが返ってきた音の並びだけが記憶のうちに

私たちは言葉を喋るようになったのだ、という説。

生まれてきて10年もすれば、
私たちはくちのききかたを覚える。
しかしまったく何もないところから、
ただ大人たちがしゃべっているのを見聞きするだけで、
ことばが身につくだろうか？

話すことを学びとるための足場は、
それを聞くようになる前から固まっているはずだ。
ことばの元型を、前概念《ぷれこんせぷと》という。
花の咲くように赤ん坊が笑ったり、
なにかを感じて泣きだしたりするのは、
「ことばでないもの」を受けとっているからだろう。

赤ん坊の時期を過ぎても、
前概念が消えてしまうわけではない。
夢の中でぴんとひらめくことがある。
暗い和音になぜか悲しい気分になる。
調子のいい語呂を面白がったりする。
ぞっとする恐怖も、言葉にはならない。

思春期のころには特に、
言葉にならない経験を多くする。
ぜんぶを言い表してみようとも思わない。
誰かと一緒にいれば、
それだけで互いに伝わるものがある。
だから言葉をもう充分に知っていても、
なにか訊かれると、
恥ずかしそうに顔を伏せるものだ。

偶然かもしれない、
この年代には集団行動ばかりさせられる。
一人になることはむしろ特別で、
朝から夕方まで学校にいて、
同じ年のひとたちと、
同じ格好をして、
同じ時間に食事する。

それがいつしか大人になると、
一人でいることが増える。
この頃には寂しさが、
心に秘めたものでなくなる。
誰かに会いたいとはっきり感じるようになる。

こうして大人になったころには、
何にでも名前がついている気になっているものだ。
名前ないものを詩的に感じてしまうくらいに。
くっつけられた荷札なしには、
何も思い出すことができない。
その意味はひとによって違うのに。

このプロセスを、生きているだれもが経験する。
どうしてだろう。
ことばよりももっと深いところの体験に、
みな同じものがあるからだろうか。
生まれたばかり赤ん坊は、
真白な紙《たぶららさ》でもないのかもしれない。

ことばをさかのぼる

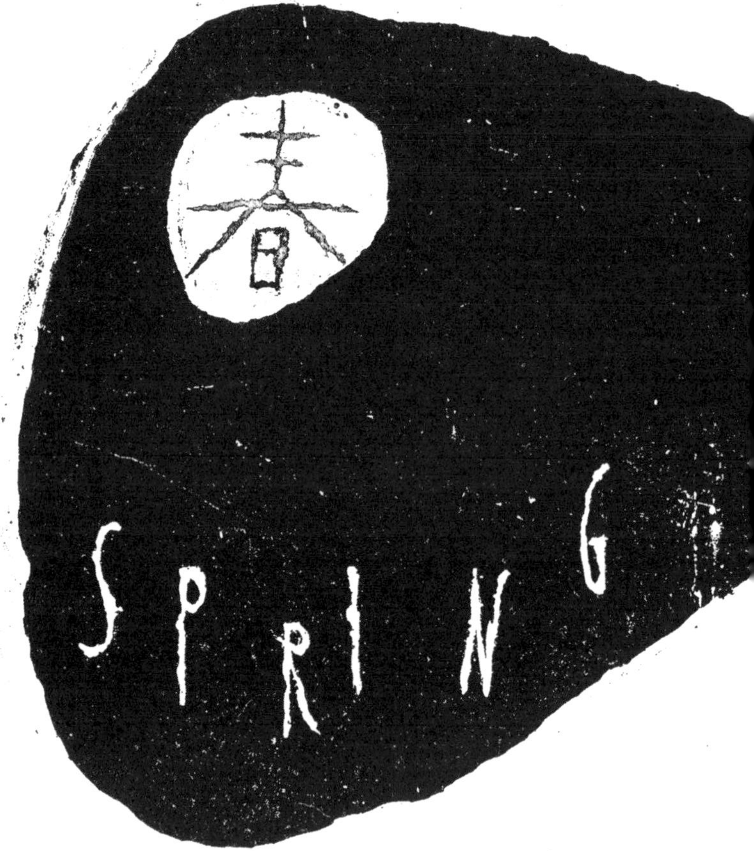

表した単語は、
おおむねフランス以北の
ヨーロッパ諸語に広く分布している。

別々の言語に似た形の
単語が含まれることは、
各言語が共通の「祖語」から
分岐していったためであると
考えられている。

特に北インドからヨーロッパ全体に
広がった「印欧祖語」が有名。

貝原益軒《かいばらえきけん》によると、
春の語源は
「（草木が）張ること」らしい。
ほんとかよ、とも言いたくなるが、
これが広辞苑にも載っている。
もし本当だとすると、
英語のspringにも通じることに
なっておもしろい。
spr-g-の形で
「跳ねあがること、（派生的に）春」を

江戸時代の滑稽本で、こんな一節を読んだことがある。

小僧「海水が塩辛いのはなぜでしょうか」
師匠「鮭が泳いでいるからです。」

昔は冷凍保存ができなかったから、鮭がぜんぶ塩漬けにされていたことから来た冗談なのだ

サケ

ろう。アイヌのひとたちが獲った魚が、塩漬けされて、江戸まで運ばれてきたのだ。

だからサケの語源もアイヌ語シャクリペから来ている。

gauche（ゴーシュ）はフランス語で「左利き」。これが主人公の名前になっ
演奏会まであと10日なのに一向に上達しないゴーシュ、それをみて森の動
ゴーシュは邪魔におもって追い払ってしまう。いよいよの演奏会で大喝采を
ところで左利きにあまり良いイメージがないのは英語でも一緒で、left-
さらには「悪意がある」なんて意味まである。

セロ弾きのゴーシュ

ているけれど、実は「不器用な」という意味もある。

物たちが練習を手伝ってくれるけれど、

浴びた後になってやっと、動物たちの好意に気づく。不器用なセロ弾き。

handedというと「不誠実な」とか、

奇数　odd number

oddはもともと「突き出た地点」というような意味の古い印欧語からでていて、そこから「付け足されたもの」、さらに「風変わりなもの」と意味を変えてきた。奇数という訳語も収まりが良い。
では偶数の元になったeven numberはどうだろうか。evenは古英語の「水平な」から始まって、「よく調和したもの」の意味を持つようになった形容詞。古代中国で偶の字は、もともと二つに分けられた区域を表していて、そこから二つ組になったものに表すようになった文字で、だからこれも良くできた訳語だと思う。

ポルカ

はもともと「ポーランド風の踊り」の意味。軽やかなステップから連想されたのか、19世紀中ごろに模様の名前として定着した。和語はたまの大きさに関係なく水玉というけれども、カナ書きだとコイン・ドットとかピン・ドットとか細かく区別される。しかしどことなく可愛らしい印象をもって受け取られるのは、洋の東西で変わらないようだ。

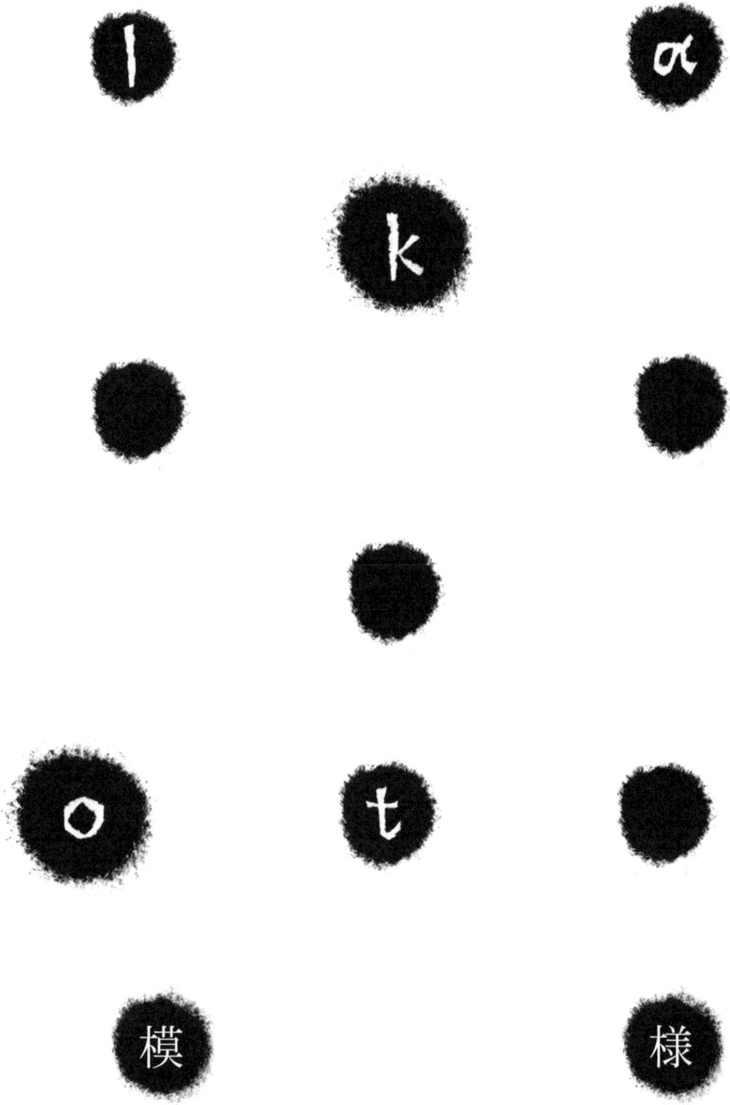
l
α
k
o
t
模
様

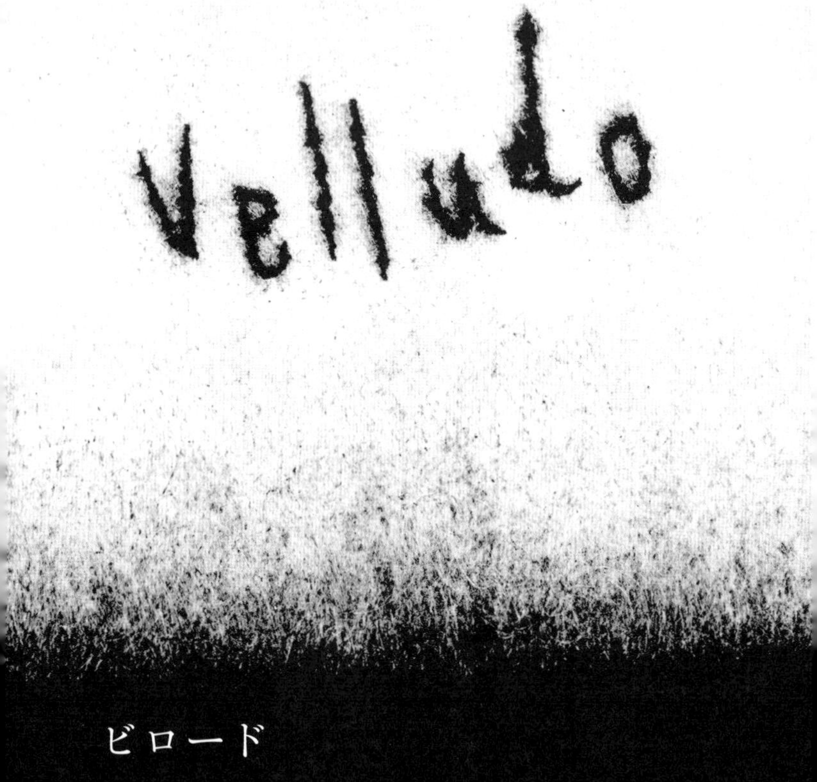

ビロード

今では珍しくもない織物だが、これが南蛮船によって伝来した時には相当な
とされて、「天鵞絨《てんがじゅう》」などと当て字されている。高値で売るため南蛮人が織
語と同じ語源で、ベルベットvelvetと呼ぶ。滑らかな生地から転じて、現代

驚きだったらしい。かなり早いうちから「天国の鵞鳥の羽から織ったもの」
り方を一切教えなかったのも神聖視に拍車をかけた。英語ではポルトガル
では淫靡なものを比喩的に表すようになった。

クロッキーはフランス語から入った言葉で、スケッチは英語。本国ではどちらの

言葉も同じ行為（鉛筆などで輪郭を描きだすこと）を指しているが、日本語となってからクロッキーはごく短時間での描画に限定して使われるようになり、一方でスケッチは作曲や建築についても使われるようになった。このように同じものを指している外来語は、それぞれの意味が分化していく傾向にある。

18世紀ころまで、新しい音楽はまず作曲家自身によって演奏されたから、最初に書かれる自筆譜はごくシンプルなものだった。どの指で鍵盤をたたくかとか、強弱を表す記号はない。これをそのまま読むことは、アマチュアの演奏家にとってひどく難しいことだった。

楽譜が広く流通するようになるのは19世紀。この頃にはまだオフセット印刷はなかったから、譜面を版画版に移し替えて刷っていた。そのうち、音楽に通じた彫刻士が、演奏中でもページをめくりやすいように割り付けてくれたり、弾きやすくするための指示を彫り込むようになった。楽譜づくりのことをengrave、つまり「彫刻」と呼ぶのにはこんな経緯があるのだ。

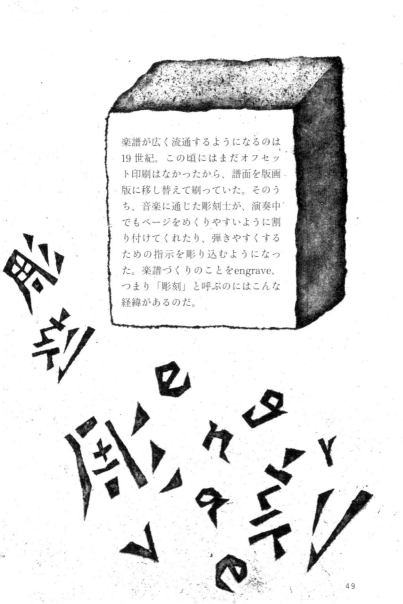

神経科学の用語。脳全体を覆うように広がっている大脳皮質をドイツでは

この部分が障害されると、自発的な発語がなくなり、体は動かず、さらに眼球運動も消えてしまう

Apallic syndrome

失外套症候群

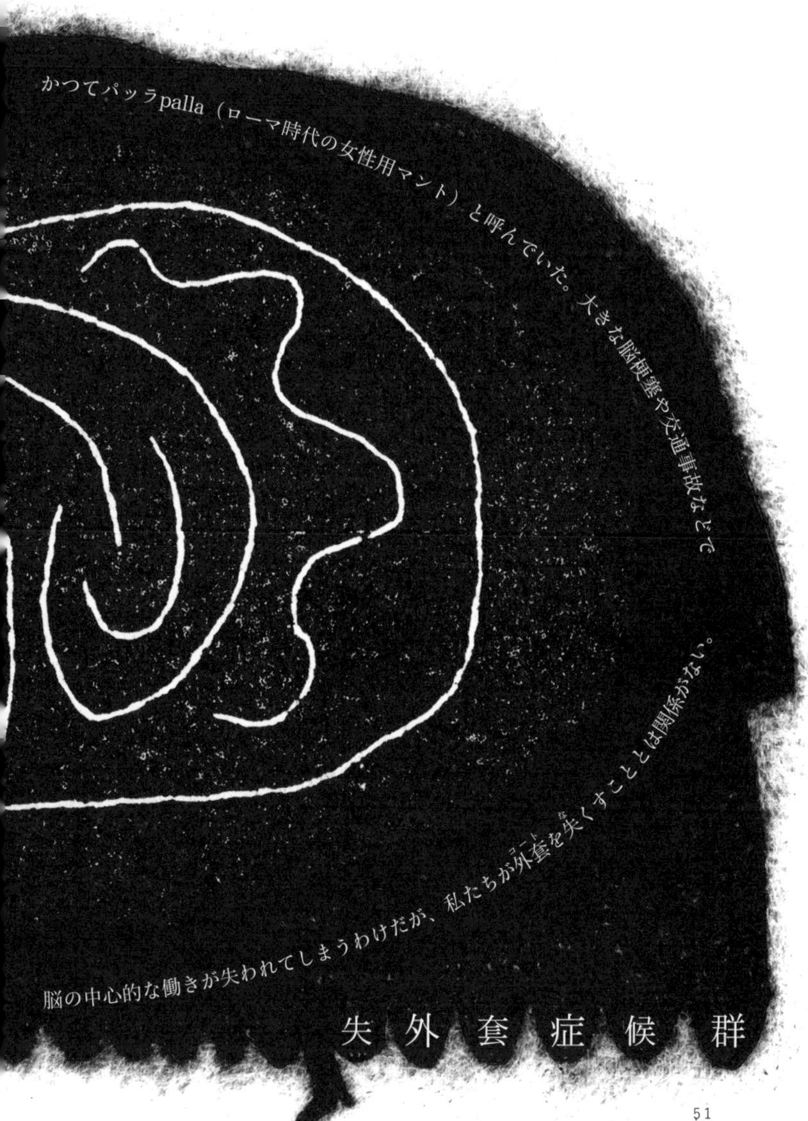

かつてパッラpalla（ローマ時代の女性用マント）と呼んでいた。大きな脳梗塞や交通事故などで脳の中心的な働きが失われてしまうわけだが、私たちが外套《コート》を失《な》くすこととは関係がない。

牛耕式

紀元前後のギリシアやアラブ諸国では、第一文を左から右に書き進めると、次の

と一行ずつ文章の進行方向が変わるのが一般的であった。

文が方向を変えながら行ったり来たりするところを牛が畑を耕すのに見立てて、

数は少ないながらこの書式を残している言語もある。

Boustrophedon

行は右から左に、その次の行はまた左から右に、

逆方向に文章が進むときは、文字もやはり180度反転されて、鏡文字になる。

希Bous（牛）と-strophos（返る）という構成子から単語ができている。

読みにくいから、という理由で（おそらく）廃れたのだろう。しかし現代でも、

さかのぼるときには、一種のお作法がある。
夢を思い出すとき、記憶をたどるとき、
古い本をひらくとき、コトバをさかのぼるとき。
語源についてはもう充分に書いたような気がするから、
夢をひとつ例えにして、お作法のいくつかを書き出してみよう。

ま
ず
初
め
に、
絶対の法則性を求めないこと。
ふだんの生活がほとんど偶然の積み重ねから出来あがっているように、
夢もほとんどがたまたま浮かび上がってきただけのものだ。
法則を期待していると、知らないうちに、
それに沿ったものしか辿れなくなってしまう。
友達の華々しい経験談くらいに、
そういうこともあるのかというくらいに留めておく。

次
に、
繰り返しやってくる夢には少しだけ多めに敬意をはらうこと。
いつも忘れかけたころに現れる夢だったら、
忘れそうになっているものが
本当のところ何なのかと考えるきっかけになる。
ただ一度だけすれ違ったのと、何度か夜を共にしたのとだったら、
目の向け方をすこし変えてみてもいいはずだ。
小さい頃から何度もみるものは反復夢といって、
奥深くに滞ったままのものとか、
あるいは噴きだしかかっているものを反映することがある。

も
う
一
つ、
隠れた意味については慎ましくあること。
無理に装いをはぎ取るようなことをしてはならない。
つまり夢を解釈するときに、
なるべくただ感覚された通りに受け取って、
そこに透けてくるものについては思い出のままにしておく。
思い返して反芻するのもなかなか良いものだと学んでからの最初の夢、
これは初回夢と呼ばれるけれども、
これは手慣れていないだけに失敗しやすい。

最
後
に、
（ちょうどこのテキストみたいに）文意が一つには限らないだろうと、
心に陰ながらの余裕をもっておくこと。
糸の結び目は、柔らかく締まっているくらいの方が信頼できるものである。

ことばのうつりかわり

Fetischismus

もともとはラテン語facticiusから造られた言葉。
フロイトの精神分析で注目されて、
ドイツ語fetischismusが大正時代の日本に輸入された。
これを最初に翻訳したひとは、「呪物崇拝」と訳したけれど、
この島国のなかでさらに翻訳されて、
昭和初期には現在の英語風カタカナ表記が定着した。
言葉は翻訳されても、それで固まってしまうわけではない。

言葉はいつまでも、もぞもぞ動く。

con-（合わせて）+pute（置く）が語源の
もともとは単純素朴な言葉。

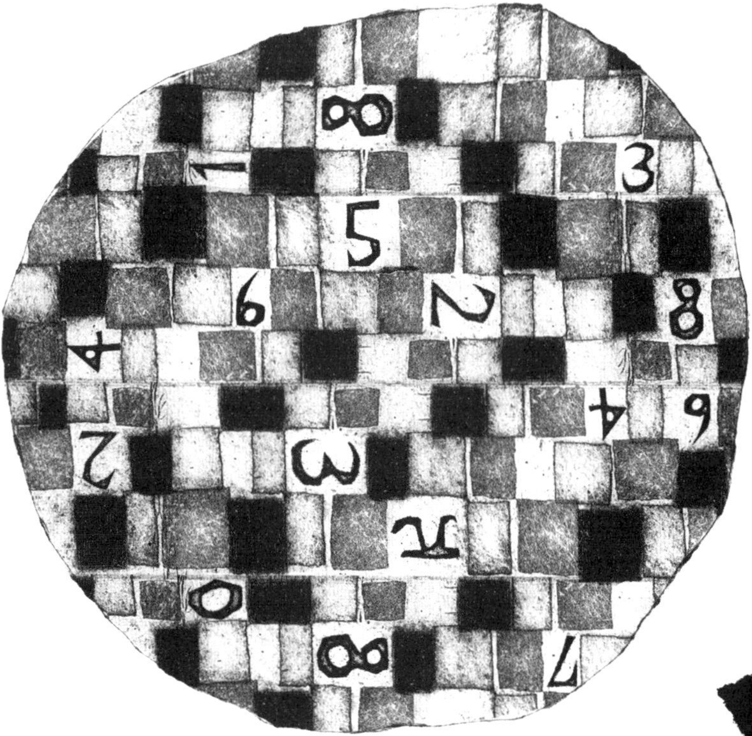

中世英語の時代までは日々の動作を表す動詞だった。ここから次第に「器械」、さらに「計算尺」となって、そこから現在の情報操作の意味が派生している。

ギリシャ語で
「ボトゥルス」と呼ばれた果物が、
シルクロードを伝って中国に入り、
「葡萄」と当て字をされたらしい。
それを音読みしたのが「ブドウ」。

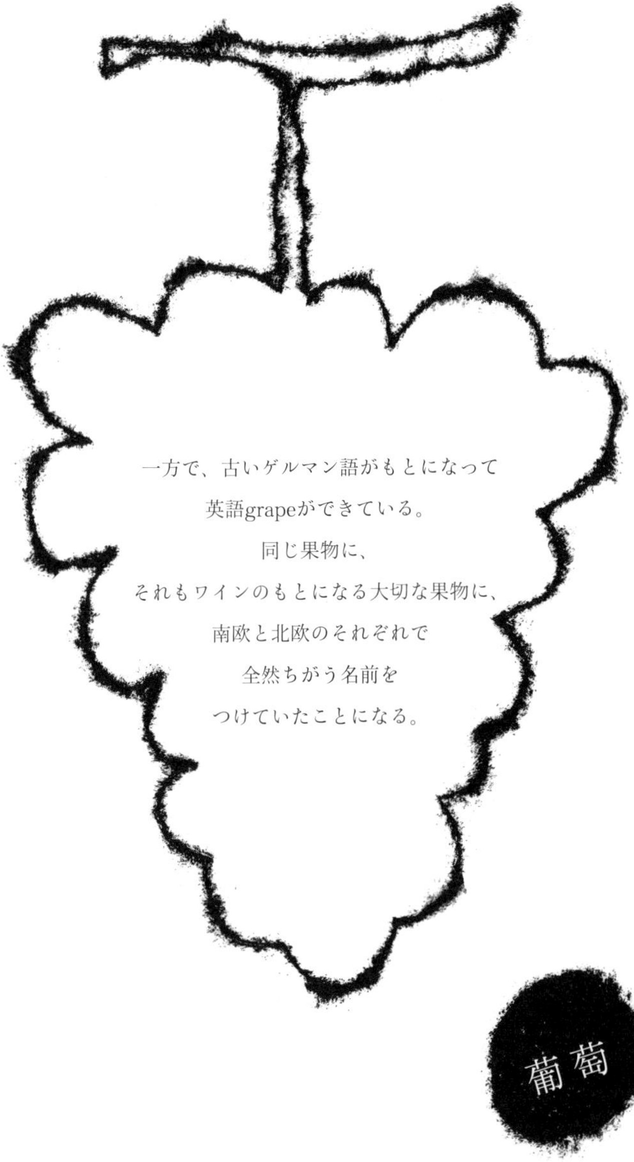

一方で、古いゲルマン語がもとになって
英語grapeができている。
同じ果物に、
それもワインのもとになる大切な果物に、
南欧と北欧のそれぞれで
全然ちがう名前を
つけていたことになる。

葡萄

Geometry

もともとはgeo-（土地）と-metry（測ること）からできた言葉で、

畑の広さとかを調べるための方法を指していたらしい。

紀元前300年ころ、ギリシャの数学者ユークリッドによってほとんど完成されながら、

これがアラブ世界に伝わる頃にはヨーロッパでは忘れられてしまった。

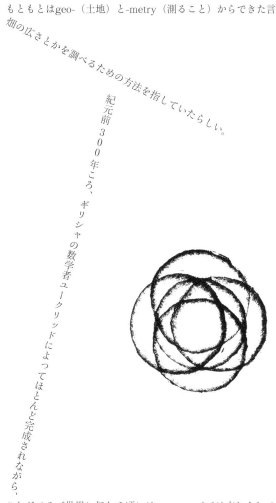

幾何学

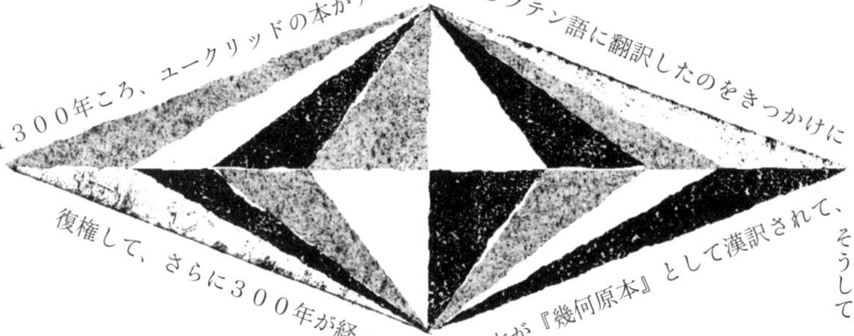

１３００年ころ、ユークリッドの本がアラビア語からラテン語に翻訳したのをきっかけに復権して、さらに３００年が経って、その本が『幾何原本』として漢訳されて、そうして「幾何」という不思議な響きが日本語になった。

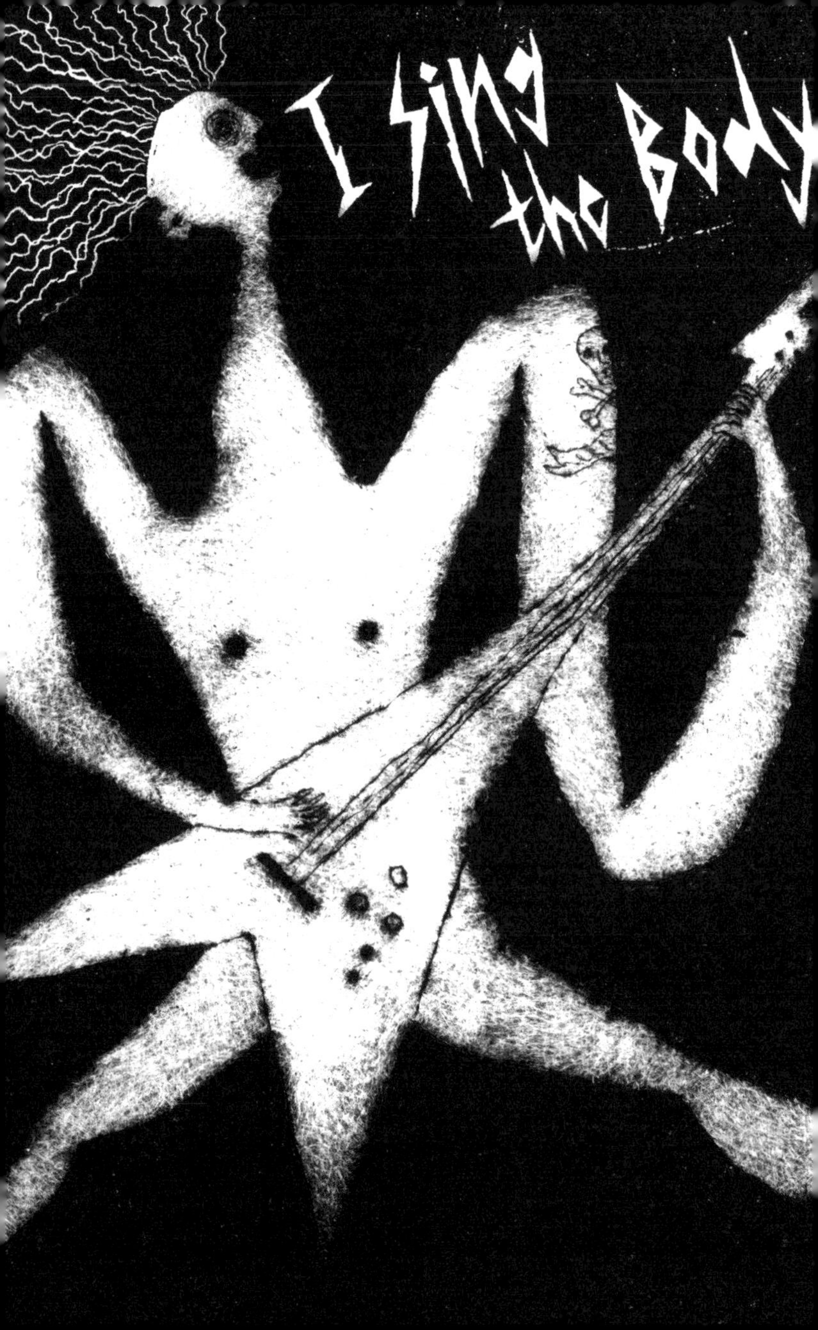
I Sing the Body

Electric

歌おう、
感電するほどの
喜びを！

1855年、アメリカがまだ
西部開拓の時代にあった頃、
Walter Whitmanの自由詩集『草の葉』は、
あまりに淫靡であるとして
印刷所が発送を拒否するくらいだった。
その中の一篇。

猥褻の書と罵られながらも読み継がれているうち、
このあまりに大胆なタイトルを、
SF小説の大家Ray Bradburyが短編小説の題名として
1962年に復活させる。

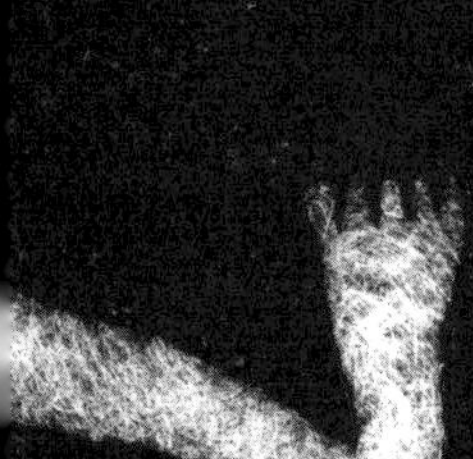

その10年後さらに、
電子鍵盤のジャズ・バンドWeather Reportが
アルバム・タイトルに取り上げて
世界的ヒットにしてしまった。

Bowdlerization

改竄

シェイクスピアの原文から　卑語猥語を抜き去って出版した
Thomas Bowdler博士に　由来する言葉。

一方で「竄」の字は、
穴に鼠が入るようにこっそり素早く
字句を挿入してしまうこと。

どちらも文書の勝手な変更を表すけれども、
正反対の意味に由来するのが面白い。

皮肉なことに両方とも、
bowdlerizationはいまや古風な言葉として
廃れつつあるし、「竄」の字も「ざん」に
置き換わって姿を消しそうだ。
嘘は長くは続かない、ということ。

女装

同じ意味の熟語であっても、中国語より日本語の方が圧縮される傾向にある。
漢字だけで読み書きするわけだから、
中文の方が語を短くする必要が大きそうだけれども、不思議なものだ。
「超かわいい」を逐語的に移すと「超級可愛」であるところ、
逆輸入されて中国でも「超可愛」が通用するようになったと聞く。

男扮女装

なお北京で単に「女装」というと、
女性のフォーマル・ウェアである。

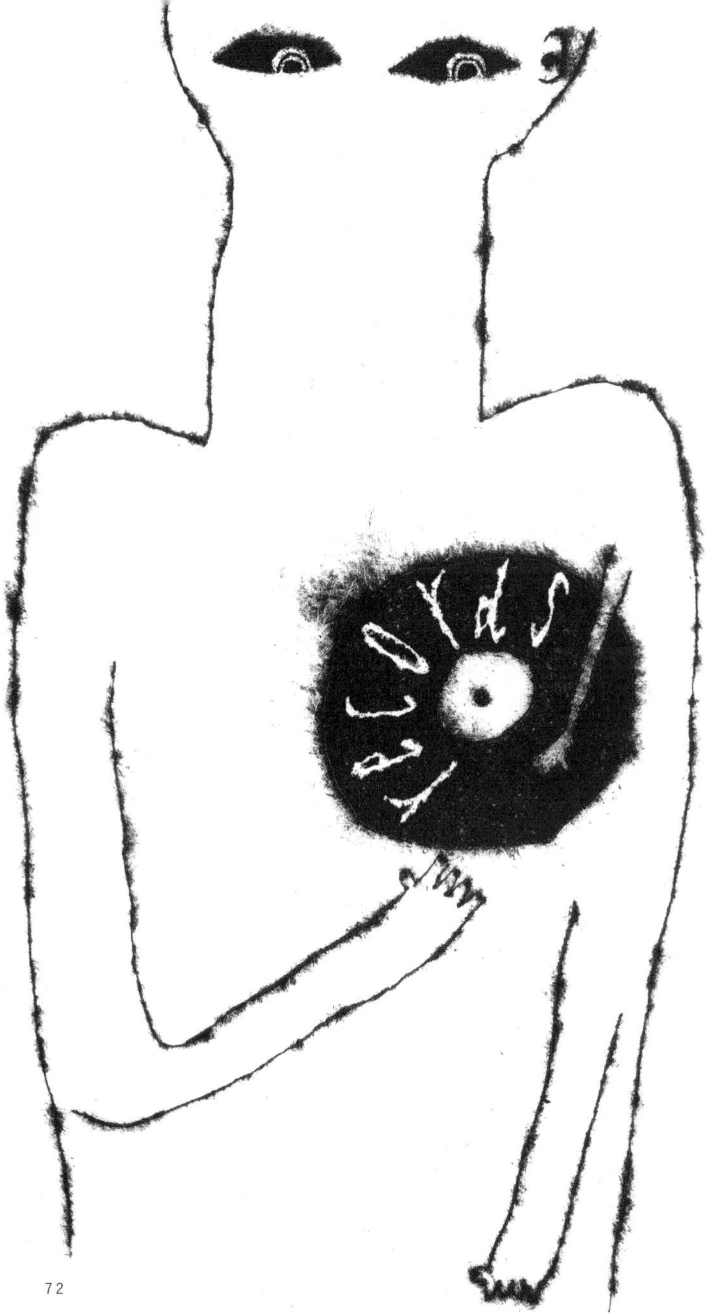
records

記録

もともとcor（心臓）の語幹から「心に留めおく」くらいの意味だったが、19世紀末に蓄音機が発明されてからは、もっぱら音楽用のレコード盤を指すようになる。このアナログ・レコードはその後100年ほどで衰退するわけだが、この頃にはデジタル化社会となっていて、電子記録の全般をrecordと言い表すようになった。別々のものを指しているわけだから、それぞれに新しいコトバが作られても良かったはず。でもそれより技術革新がずっと早かったために、意味の乗り換えが起きたことになる。

耳鳴り

halluci

「幻聴」なんていうと、なにか重い精神病の症状のように思えてしまう。
けれども定義のうえでは、刺激なしに生じる音の感覚というだけだから、
ちょっと疲れたときに出てくる耳鳴りなんかも幻聴の一つである。
同じ体験をしているのであっても、
精神科にいくか耳鼻科にいくかで呼び名が変わる。
「空耳」くらいの方が中立的な表現なのかもしれない。

nation

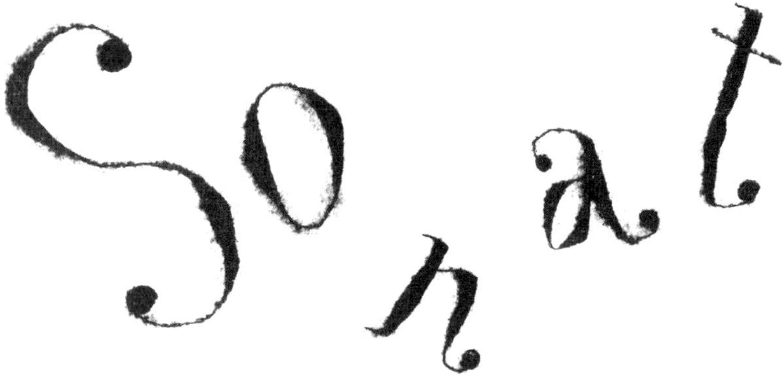

奏鳴曲

ソナタという言葉は多義的で、単に独奏曲を指すこともあるし、

どちらに当てはまらなくともタイトルに「ソナタ」とつけられ

だから楽譜にソナタと書いてあっても、ソナタ形式でないし、

…さらに言えばソナタ形式というのも時代によってかなり違う

特定の楽曲形式を指す場合もある。

ていることさえある。

ソナタでもない、ということがありうる。

のだけれど、ではこの言葉は一体何なんだろう？

心を病むとヒトが言うようになるのは、
たとえば隣人に命を狙われているとか、
同僚みんなに悪く言われているとか、
一生のうちに一回はもしかしたらあるかもしれないけれど
（たぶんないだろう）、というようなことがあったときだ。

行き過ぎた一般化が、そこには働いていることが多い。
ちょっとした咳払いをつよい悪意のサインと受け取ったり、
あるいは一人に言われた注意を、
みんなから差し向けられたものと受け止めたり。

そんな漂うような精神病とせまい診察室のなかで格闘しているうちに、
しつけというものについて時々かんがえるようになった。

おもえば子供にむけられる言葉にも、
行き過ぎた一般化が働いていることがある。
しつけのためならなおさら。

実際のところ、玄関で靴を揃えなかったからといって
友達の親にそれほどの失望を与えることはないだろうし、
箸の使い方が良いからといって友達が増えることも、
あるいは乱れているからと失うことも滅多にないだろう。

まぁお見合いだとか、
衆目の監視をうけるような場面であれば話は別かもしれないが、
そんなことは一生のうちに一回あるかどうかといったところ。

けれども大体の子供は、
「いつもみられているから」「全員が気にしているから」
マナーを守るように言われるものである。

―言葉によってヒトを動かすには、
どこかで、その意味を強めたり、ぐっと押し広げたりする必要がある。
ある一瞬にしか当てはまらないことを認めてしまうと、
きっとすぐ忘れられてしまうから。

そのことが半意識的に行われるのが教育であって、
そしてまったく無意識に行われるのが病気であると考えるなら、
私たちはずいぶんと、足元のおぼつかない世界に生きていることになる。

言葉がうつりかわっていくことの土台には、
自分の発した声が、書きつけた文字が意味を持ち続けるようにとの願い、
そう簡単に置きかえられてたまるかという情念みたいなものが、
うっすらと流れているように最近は感じている。

ことばがうまれるとき

Coming out

From Tago's nestled cove

I gaze:

White, pure white

The snow has fallen

万葉集を英訳した、この亜鉛色の髪をした作家と温泉にいったことがある。

「田子の浦、入江の浜辺は低く、そこからふと見上げたとき、視界の開けた先、

しろ、というだけではきっと足りなくて、文字を二つ、重ねることで…」

家に帰って、彼の訳したものを見ると、

田子の浦ゆ
うち出でてみれば
真白にそ
不尽の高嶺に
雪は降りける

On Fuji's lofty peak.

高く、海の色が反転したような雪があって―心の震えたのを、

そんなことを言っていた。

White, pure whiteと、やはり二つ言葉を重ねた美しい訳詩になっていた。

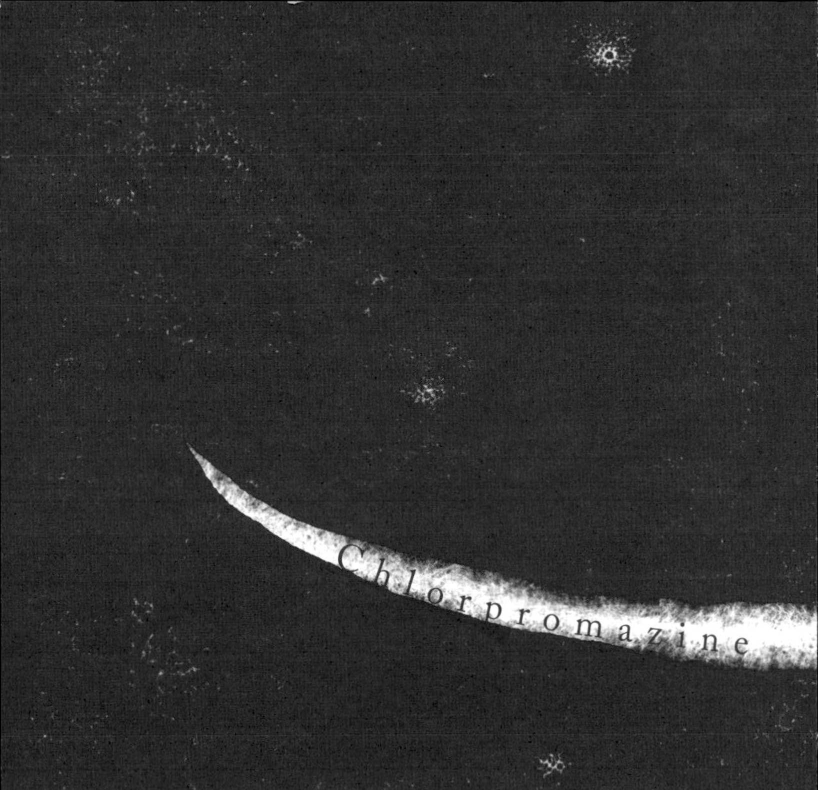

薬剤それ自体の名前とは別に、
プロモーション用の製品名をつけるという慣習が製薬業界にある。
医師が覚えやすいように、適応疾患とか使用方法を連想させるような
名前がつけられることが多い。
Chlorpromazineは1950年代に使われるようになった初めての抗精神病薬。
かつて人口冬眠療法に使われたからだろうか、
「冬」とか「睡眠」をどことなく連想させる商品名である。

Hydrochloride
ウインタミン®

鵞鳥と

「鵞」にも「驢」の中にも既に含まれているのに、どうして日本語ではさらに「鳥」「馬」を追加するのだろうか。

中国語には四種類の声調があるから、一音節の言葉であってもなんとか区別ができる。一方の日本語では声調が発達しなかったので、一音節の語は聞き手にとって意味のはっきりしない、とても不安定なものだった。

それで「ガ」「ロ」にもう一音を追加して今の言葉になったのだろう。

驢馬

鷲和驢

魔

翻訳者はなるべく造語を避けるように訓練される。
つまり元テキストにある言葉がいくら手近に見当たらないからといって、
今ある言葉に移し替える努力を諦めてはいけない。
しかし大昔には、今みたいに細かいことは言われなかった。
たとえば「魔」という漢字は、サンスクリット語を音訳するために唐の時代に新しく作られた。
忌み言葉であったために、既存の字を当てなかったのではないかとも言われている。

【名】（文章の新たに行を起こす）項、節、段。

大正時代の英和辞典より。今では「段落のこと」といえば済むところ。語釈が説明的なことからも分かるように、この時代にはまだ、段落の概念そのものが広まっていなかった。

欧文のパラグラフはもともと文の間に空白を入れるだけだった。17世紀ころより改行を伴うようになり、日本語文にその影響が及ぶのは19世紀後半のことである。

改行があると文字数は減ってしまうのだけれど、不思議なことに、盛り込むことのできる情報は増える傾向にある。

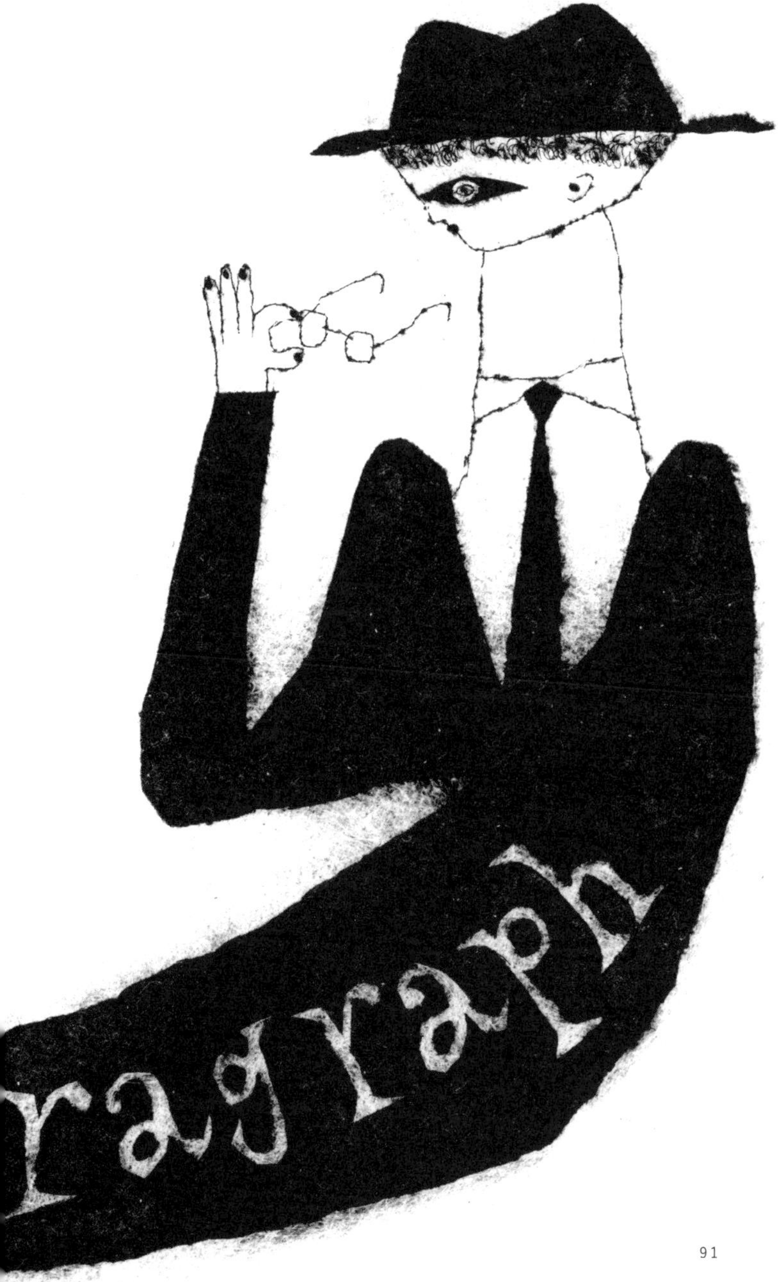
ragraph

明治期の英日辞典より。バロメーターとカナ書きすると本来の意味からは離れて、ひとの反応とか心情を知るための方策、くらいの意味になる。もともとは気圧計のことで、後には風向計のことも指すようになった言葉。周りの顔色ばかり窺っているひとを、風向計になぞらえて風見鶏と言う。心情がたくさんにあつまると、風や空気に例えたくなるのかもしれない。一人ひとりが思っているのとは違う方向に、どうしてか全体が傾いてしまうこともある。

アメカゼヲ知ルトケイ

A NEW WAY TO DEMONSTRATE “WETTER” WATER

「より濡れる」水の画期的証明法

1939年、アメリカのある化学雑誌に投稿された論文のタイトル。
水槽にガチョウを泳がせておく。そこに界面活性剤を一滴たらす。
つまり「（ガチョウの羽毛まで浸すくらいに）より濡れる」水。
こういう考え方は少し奇妙に感じる。使う言語に応じて、
これを「サピア＝ウォーフの仮説」と呼んだりもする。

界面活性剤（合成洗剤）の広告として、不思議な公開実験が提案されている。
浮かんでいたガチョウが途端に沈む。
日本語だと「水をはじく／はじかない」で固体側に着目するから、
目の付け所は変わるようだ。

「闘争か逃走」反応

Fight-or-Fli

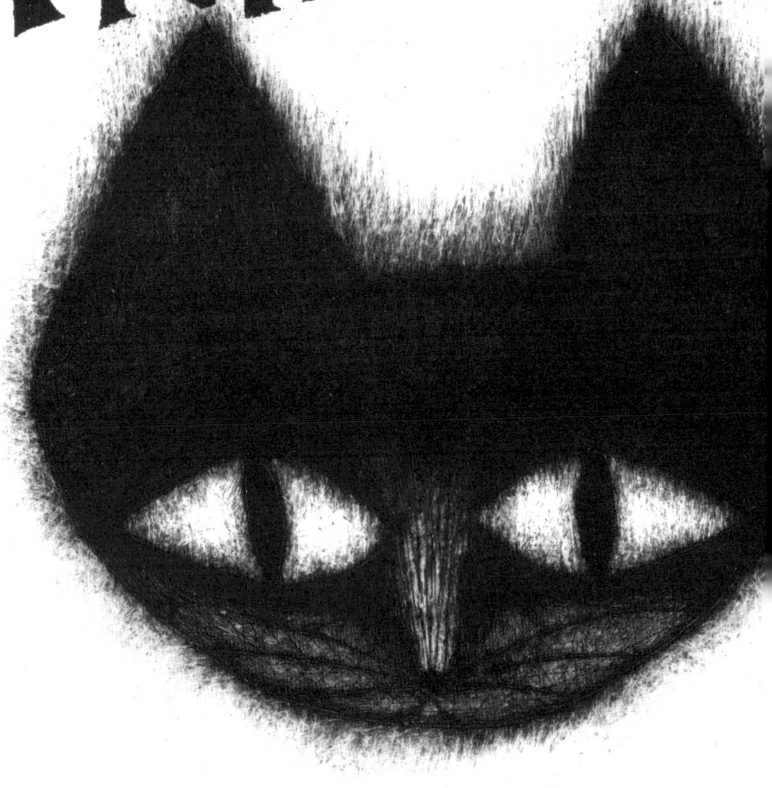

ght response

動物が突然の恐怖を感じると、
心拍数は上がり、
注意が鋭敏になり、瞳孔が開く。
つまり自分の身を守るため、敵と戦うか、
あるいは全力で逃げる準備をする。
１９１５年にこれを発見した
アメリカの生理学者は、
うまい韻を踏んでこの現象に名前を付けた。
これの日本語訳もなかなかうまいけれど、
翻訳者の名前は伝わっていない。詠《よ》み人《びと》知らずの翻訳である。

〈僕のことはかえるくんと呼んでください。〉

と蛙はよく通る声で言った。
片桐は言葉を失って、ぽかんと口をあけたまま玄関口に突っ立っていた。

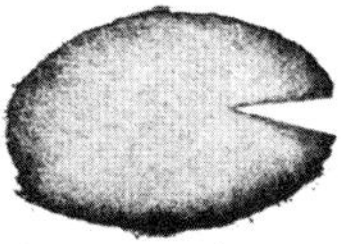

セリフの翻訳というのが一番むずかしい。
しゃべるのが蛙となればなおさらだ。
「口語体で」なんていうけれど、口でしゃべってる通りを文字にしても、
ほとんど文章にならない。アー、イヤー、ウフフエヘへとかオーとか、
人間の会話はそんなのばっかりだ。伝えたいことがあって、
どうすれば文章にできるだろうかと悩むとき、
それはすべて翻訳だという気もする。
きっと、ぽかんと口をあけている間にも片桐はいろいろ考えているのだろう。
でもそれを言葉にするのは大変なのだ。『かえるくん、東京を救う』より。

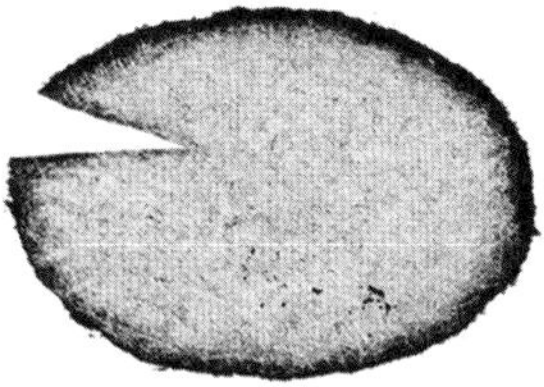

said the frog in a clear, strong voice.
Katagiri stood rooted in the doorway,
unable to speak.

過去の翻訳家が、
何を思って言葉を充てたのかは分からないことが多い。
あまりしゃべりたがらないものだから。
想像するしかない。

April is the cruellest month, breeding
Lilacs out of the dead land, mixing
Memory and desire, stirring
Dull roots with spring rain.

四月は残酷極まる月だ
リラの花を死んだ土から生み出し
追憶に欲情をかきまぜたり
春の雨で鈍重な草根をふるい起すのだ。

この詩はT. S. Elliotというイギリスの詩人が書いたのだけれど、
冒頭の「くるえれすと」という言葉、どこか東洋的な響きのことばを、
訳者は「ザンコクキワマル」という、重い、抑えつけるような、
中欧的な音で迎えている。どうも私には、なにかはっきりした意図があるように
感じられるんだけれども、これはなんだろうか。
そしてライラックの言葉を、わざわざフランス語に言い直している。

およそ60万年前には、
サルの喉や声帯は充分に発達していて、
言語を操れるくらいになっていた。
でも洞窟や壁画なんかをみる限り、
実際に言語が使われるようになったのは
やっと6万年くらい前のことだ。

この時間差はなんだろう。
ある生物学者はこんな説を唱えている。

突然変異したサルが一匹生まれただけではことばは生まれない。
ことばが生まれるにはやりとりが必要で、
つまり同じ突然変異をしたサルが、
すぐ近くにもう一匹いないといけなかった。

しかもことばは生まれてすぐにしか身につかないから、
その二匹目のサルは、若いうちからすぐそばにいないといけない。
二匹目のサルも同じような景色の中に暮らしていて、
同じように食事にありついて喜んだり、
ありつけなくて悲しんだりしなくてはいけない。
そして最後に、二匹のサルが両方とも死なずに大きくなって、
次に生まれてきた子ザルたちにことばを受け渡すことができるくらい、
穏やかな環境がないといけない—

この説が正しいかどうか、まだ結論は出ていない。
一応、突然変異の確率と、それぞれの条件が揃うまでの期間として
理論上の計算は合うようだけれども。

いつヒトが言語を発明したのかと考えるとこんな風に、
壮大というか、ちょっと信じられないくらいの奇跡が必要になる。

でも私たちの身の周りでふと新しいコトバが生まれるときにも、
似たような条件が揃ってはいないだろうか。

同じくらいの年の若いひとたちが集まって過ごしていること。
そのみんなで同じ音楽や、おなじ風景を眺めていること。
しかもみんながその雰囲気にすっかり浸かっていて、
そしてその経験が一瞬で終わってしまうようなことではなくて、
その時間がこれからもしばらくは続いていくだろうと、
なんとなく信じていられるような空気が流れていること。

言葉が初めて生まれたときと、
何万個目かの新しいコトバが生まれるときで、
ほとんど同じことが起きていると考えると、
楽しい。

ことばが
きえて
いくとき

タバコも、もとは南蛮語だった。

今では「煙草」と書くのが普通だが、
昭和初期までは「莨」の字も一般的に使われている。
使われなくなったのは、
やはり煙との連想が強かったためだろう。
とてもよく似た字に「茛」というのがあって、
これはトリカブトの一種の毒草。
タバコにしても体に良いものとは言えないが。

American Flour

明治時代に使われていた、小麦粉の別名。
国内産の日用品を「うどん粉」、
アメリカ産の上級品を「メリケン粉」と区別していた。

メリケン粉

農作物を荒らす「うどんこ病」との連想から
「うどん粉」の言葉があまり好まれなくなり、
さらに国内産とアメリカ産で小麦粉の品質の差がなくなったことから、
二つの言葉を区別する必要がなくなり、
両方とも同じ時期に使われなくなっていった。
忌み言葉と技術革新が共に作用している、味わい深い一例。

シフゾウ

シカの角をもちながらシカではなく、
ウシの蹄をもちながらウシでない。
ウマの顔をもちながらウマでなく、
ロバの尾をもちながらロバでない。

四種の動物に似た身体をもちながら、
そのいずれとも異なるために、
古代中国で「四不像」と呼ばれた動物。
19世紀まで野生のシフゾウが生息していたが、
今ではほとんど絶滅してしまった。

バテレン

16 世紀半ば、
戦国時代にキリスト教が
伝来すると、渡来してきた神父たちは
ポルトガル語のまま「パドーレ」と呼ばれた。
キリスト教が広まるにつれて、日本人信徒をも指して
この言葉が使われるようになり、発音もバテレンと訛り、
「伴天連」と漢字が当てられた。布教を苦々しく思っていた
勢力もいて、彼らは「破天連」などとも書いている。結局は反対派の
方が強くなり、秀吉のバテレン追放令によって神父たちは国外に追いやられて、

それに合わせてどちらの言葉も消えていった。

担罪羊

明治時代の文献、
特にユダヤ教や妖怪学の話で出てくる訳語だが、
定着しないうちに消えてしまった。
辞書に収録されることもなかった。

イケニエともいうけれど、
贄の字は食べ物とか美しい布とかのありがたいものを指すから、
語感がすこし合わない。
担う、と選んだところに妙な生々しさを感じる。

白樺

shirakanba

雑誌『白樺』には、
表紙にshirakanbaと書かれたものがある。

「かんば」の由来を探ると、

平安時代に作られた辞典『和《わ》名《みょう》類《るい》聚《じゅ》抄《しょう》』に
樺を「かにわ」と読んでいるものがある。

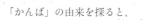

アイヌの言葉では桜の樹皮を「カリンバ」と呼び、
遠洋に出る木造船の木組みに使ったらしい。

舟でしか行けない大島諸島の方言でも、
山桜を「カバヌキ」と呼ぶことがある。

西洋

子供用の辞書にも載っている言葉だけれども、小学生のころからどうにも
大学生のとき、ふと思い出して、上海からの留学生に聞いたことがある。
すごく遠いところを表すのに洋の字を使います。」とのことだった。
背負っているように思われた意味が、ちょっとしたことで消えてなくなって

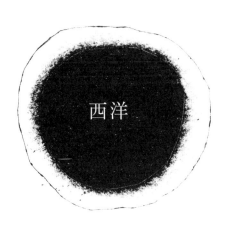

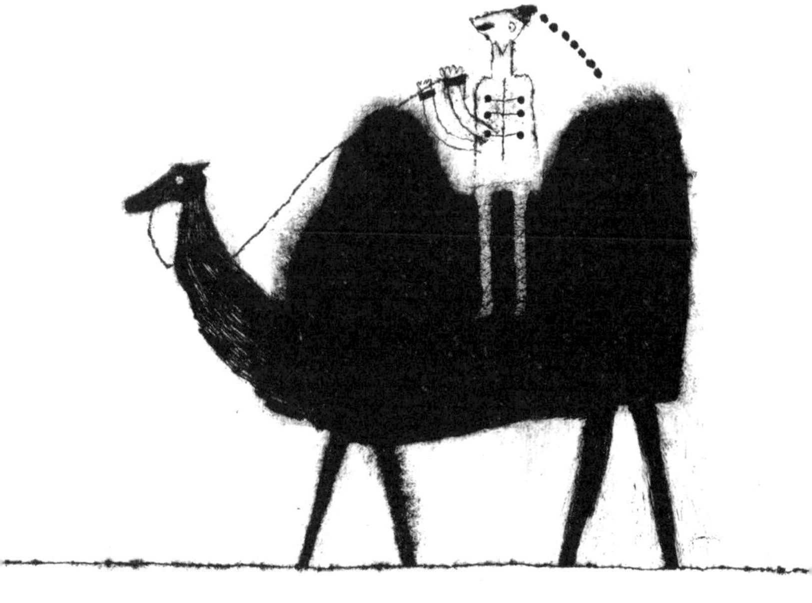

納得できなかった。日本列島から見て、「海の西」は中国じゃないのか、と。

「中国ではシルクロードで西に行くとヨーロッパなんですよ。

西というのは古代中国人にとっての西だったのか、と眩暈がした記憶がある。

しまったことになる。

party

【名】(親類などの) 會合。

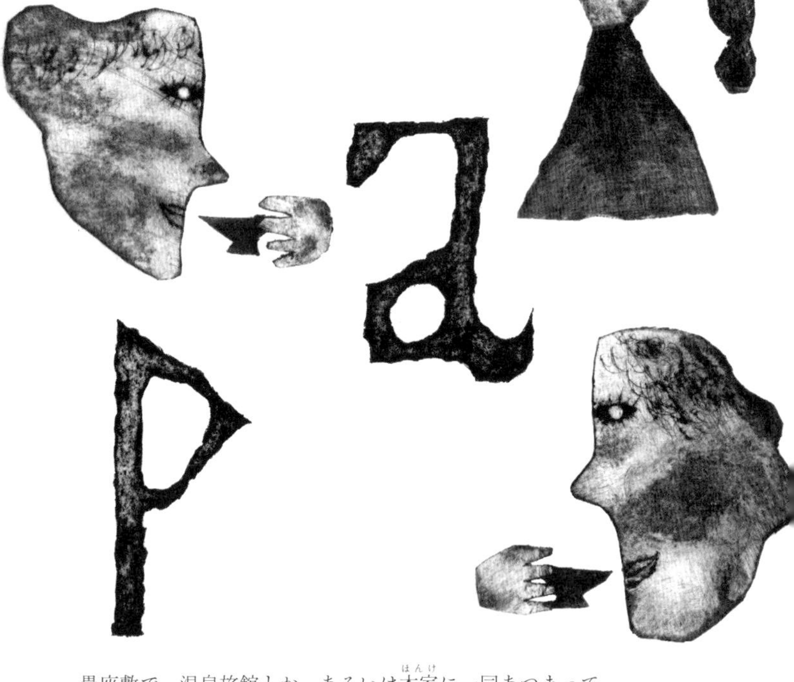

畳座敷で、温泉旅館とか、あるいは本家《はんけ》に一同あつまって、
日本酒か焼酎を飲みながら、
どこの坊ちゃんが都会から帰ってきたとか誰が結婚しただとかなんとか、
顔を赤くしたおじさんが気炎を吐いているような、
そんな光景が浮かびそうな語釈だ。
もっとも、partyには(会そのものではなく)
「人が集まって陽気に話を交わすこと」の意味もあるから、
この辞書の時代には、親戚の集まりも、明るく朗らかだったのかもしれない。
『斎藤英和』、戦前ころまで日本で一番通用していた辞典より。

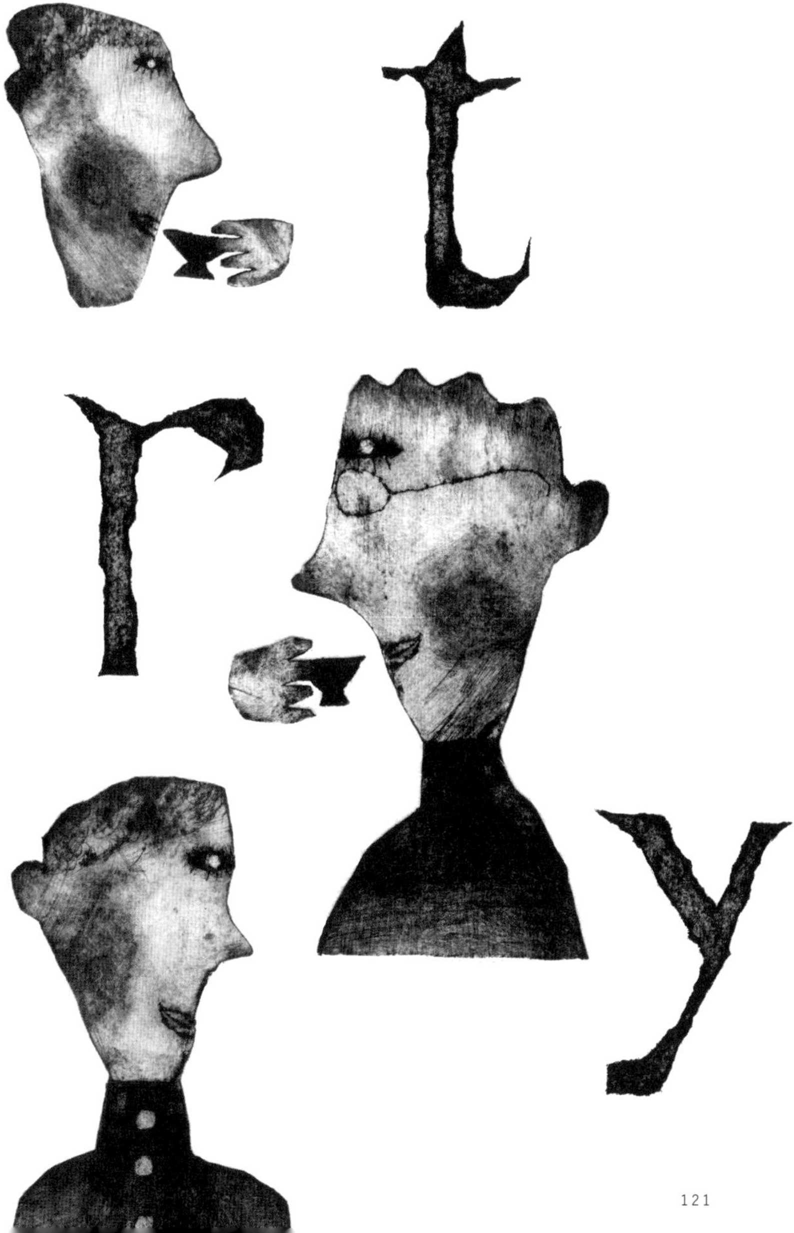
t
r
y

And how was it in

ムショはどうだったよ？

the nick?

広辞苑第６版をみると「ケイムショが縮まってムショになった」と語源が記されている。
しかしこれは誤り。１９２２年の監獄管制の改正で「刑務所」という言葉は初めて作られた。
しかし１９１５年に発行された京都府警察部の手製本『隠《いん》語《ご》輯覧《しゅうらん》』には既に、この言葉が書かれている。
取り調べに必要となる程度には少なくとも、広まっていた隠語ということになる。
（ところで第７版では語釈が訂正されている。刑囚の言葉遣いに詳しいひとでも採用したのだろうか。）

modern girl
モガ

江戸時代の終わるまで外国と通じることは禁じられていたから、
その間にはごくわずかの科学用語がヨーロッパから
日本語に入ってきただけだった。
その反動で、黒船がやってきて開国した後には、
西欧の言葉が怒涛のように流れ込む。明治、大正と外来語は花盛りになる。
「モガ」というなんだか不器用な略語も大正末期に現れた。
さらに昭和になって戦争がはじまると、外国語はもう一度禁止される。

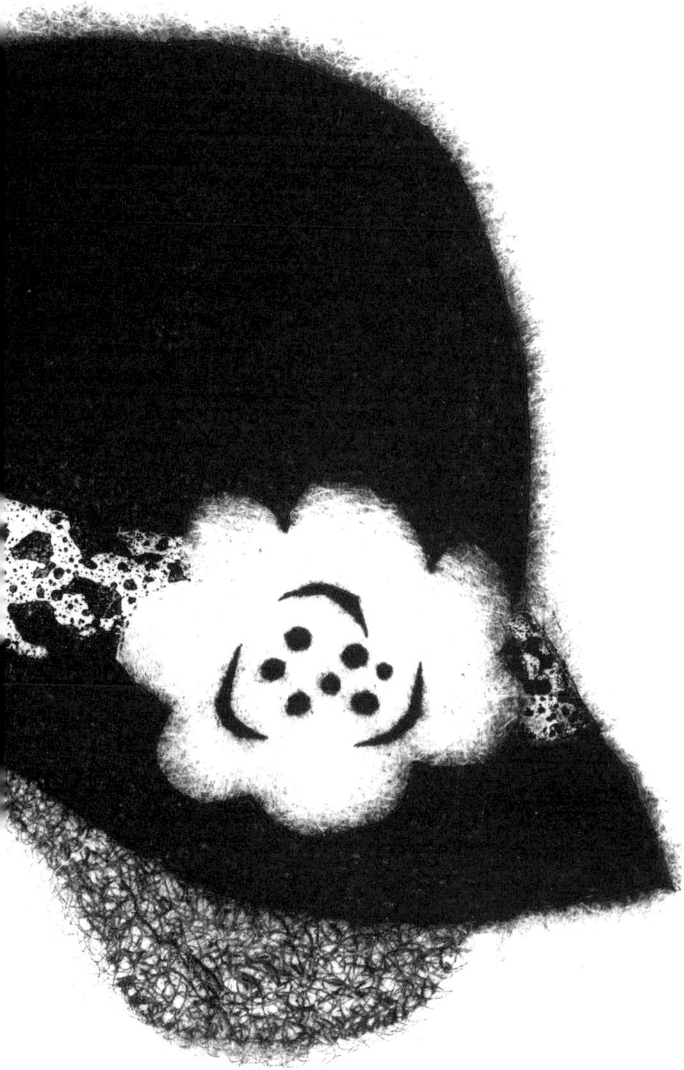

このとき戦地に夫や我が子を送り出したのは、
二十年経って母となった、かつてのmodern girlたちだった。

ある種の認知症や、脳卒中の後、
言葉を話せなくなってしまうことがある。
特に大脳の左半分、前頭葉や側頭葉が傷ついたときである。
（脳全体があまりに大きく傷つくと、
言葉を失う以前に命を失うことになる。）

話す力が丸ごとに失われるわけではない。
脳の前方が傷ついたときには、理解することはできたまま、
なめらかに言葉をつなげることができなくなる。
あるいは脳の左脇が傷ついたときには、
よどみなく喋ることはできるけれども、
言葉に込められた意味がすごく薄くなって、いちじるしく冗漫になる。

けれども不思議なことに、
その状態にあっても漢字の読み取りだけはよく維持される。
山とか川と書いてみせればこれからどこに向かうかの見当はつくし、
夜とか夕方とかと書けば大体の時間を伝えることもできる。

むしろ意味と形が結びついていない、
ひらがなやカタカナが脳にとって不安定で頼りないのかもしれない。
だから優しさのつもりで、
医学生が漢字をひらがなに直してあげたりなどすると、
言葉を失ったひとは困り果ててしまう。

現代の医学書はほとんどアメリカで書かれるものだから、
漢字の話は出てこない。
そのせいか、表意文字と表音文字が脳内で
不平等な扱いを受けている事実は、
この学生にとってそれでもどこか学問的というより、
土臭いことというか、
こぼれ話のような印象を与えるようだ。

—だけども、意味とか形とか、
音とか語呂とかが消えていくときに法則らしきものがある気配は、
本当にちょっとしたことに過ぎないのだろうか？
忌み言葉とか、あるいは語感のもたつきとか、
画数が多かったとかの理由だけで消えていったものが沢山あって
しかもそれが歴史ある一時期だけでなくて、
これまでずっと繰り返されてきたのだ。
知るほどに、なにか大変な秘密が潜んでいそうな予感が、
私たちを疼かせるものがありはしないだろうか。

ことばを

かきとめる

辞書の運命というか、哀しいところは、
言葉をまた別の言葉で説明しなければいけないところだ。
語釈に使われている言葉を知らなかったら、
また辞書を引かなくてはならないけれど、
この方式では「そのもの」に辿り着くことは難しい。

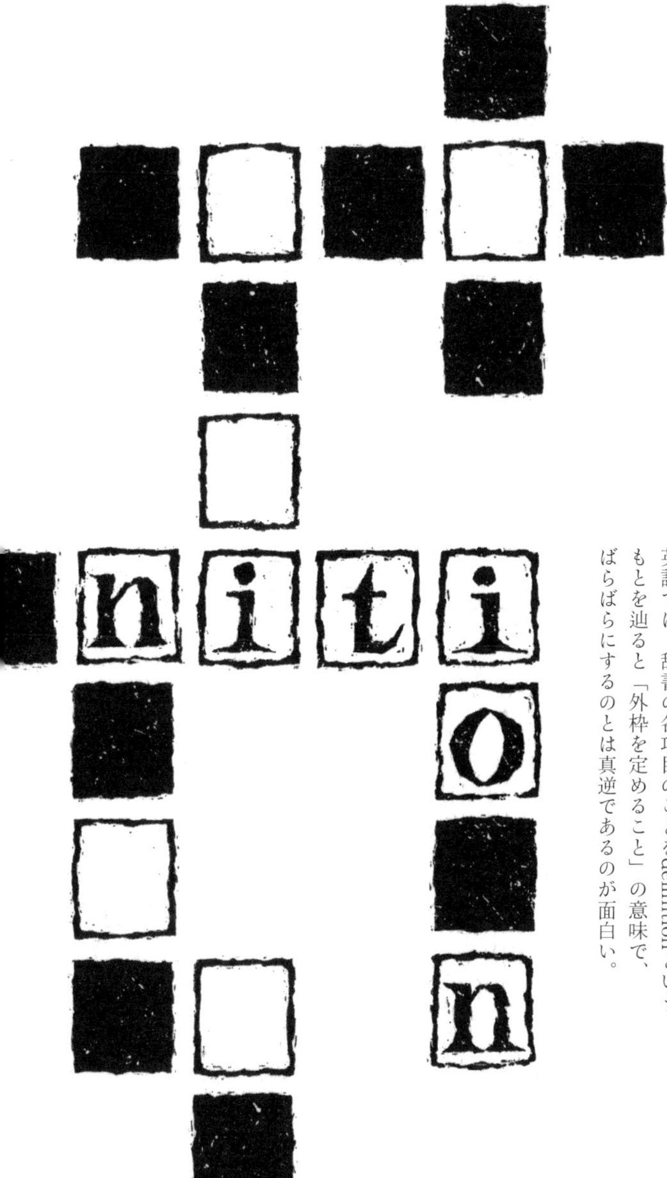

語源を辿ると「釈」の字は「ばらばらに切り分けること」である。
英語では、辞書の各項目のことをdefinitionという。
もとを辿ると「外枠を定めること」の意味で、
ばらばらにするのとは真逆であるのが面白い。

guinea pig

モルモット

ギニアの豚にあらず。
日本語でいうと、天竺鼠（てんじくねずみ）の一種。
謎の多い言葉で、この動物はそもそもギニアに生息していないし、
もちろん、豚にも似ていない。
どうしてこういう名前がついたのかよく分かっていない。
日本語で定着しているモルモットという訳語も、
本当は別の生き物、リス科マーモット属の総称である。
学名はcavia porcellus。
ラテン語Porcusは豚肉（ポーク）の語源になった言葉で、
ここにも豚がでてくる。

a three-days sensations

逐語訳すると「三日間の衝撃」であるけれども、これは（すこし時代がか
しまう、という意味。これを説明するのに、「７５日」と持ってきた辞書
過ぎること」のたとえ。三日にあげず会う恋人たちなら、ほとんど毎日会
てしまった花。ひとの気が変わりやすいことについても使う。

人の噂も七十五日

った）英語の慣用句で、大きな事件もしばらくすればさっぱり忘れられて
は大胆だなぁと思う。三日天下、三日麻疹、三日坊主などどれも、「早く
っている（たぶん）。三日見ぬ間の桜は、ちょっと目を離したすきに散っ

a bull in a china shop
陶磁器店に雄牛

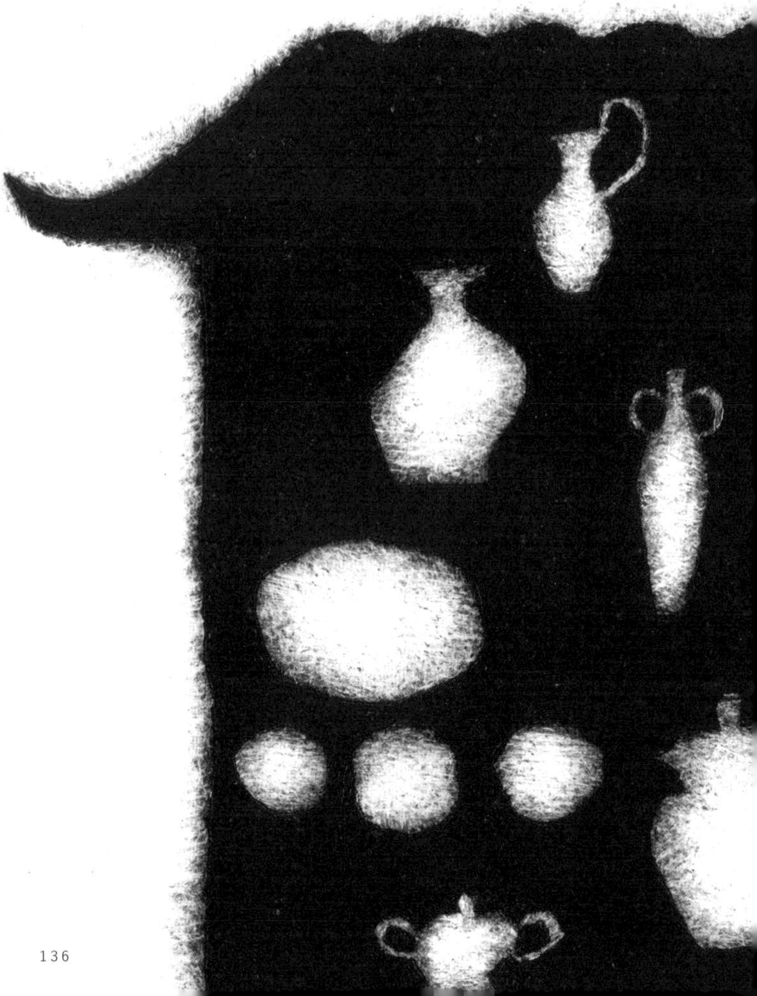

陶磁器は中国を介してヨーロッパに紹介されたから、
今でも小文字でchinaと呼ばれている。
陶磁器店に雄牛が入ってきたら大変なことになりそうだが、
これは三面記事の見出しではなくて、はた迷惑な人物を表す慣用句。
似たような言葉に、a kid in candy store キャンディ・ストアに男の子、
つまり喜色満面で大はしゃぎの人物、というのもある。

interview

おみあい

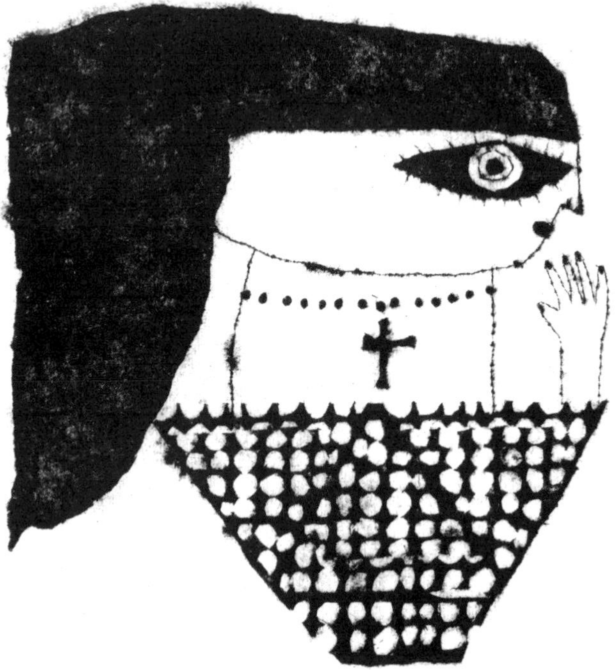

inter-（互いに）+view（見る）だから、
そのままに訳せば「お見合い」になる。
でもこれはだいぶ違う。
色恋のニュアンスがない遠い硬い言葉だから、
「面接」とか「会見」、あるいはせめて「面談」
くらいにしておかないといけない。
100年くらい前までは、王様に「謁見する」なんて
仰々しい場面にも使っていた。
意味の通りに訳すと、意味がないのだ。

たしなみ

n. 1. self-control, 2. accomplishment

「大人のたしなみとは何ですか」と聞かれて、「それはセルフ・コ
おむね同じ時代に生きているわけだから、海外の言葉でも、同じモ
題になるのは「言い方」というか、指し示すものとは別に、それに
ば上品な空気があるけれども、セルフ・コントロールというともっ

ントロールであります」と答える人がいたらなかなかの見物だ。お
ノを指している日本語をみつけてくるのはそんなに難しくない。問
どういう雰囲気をかぶせるかが変わっていること。たしなみと言え
と肉体的なものを言っているように聞こえる。

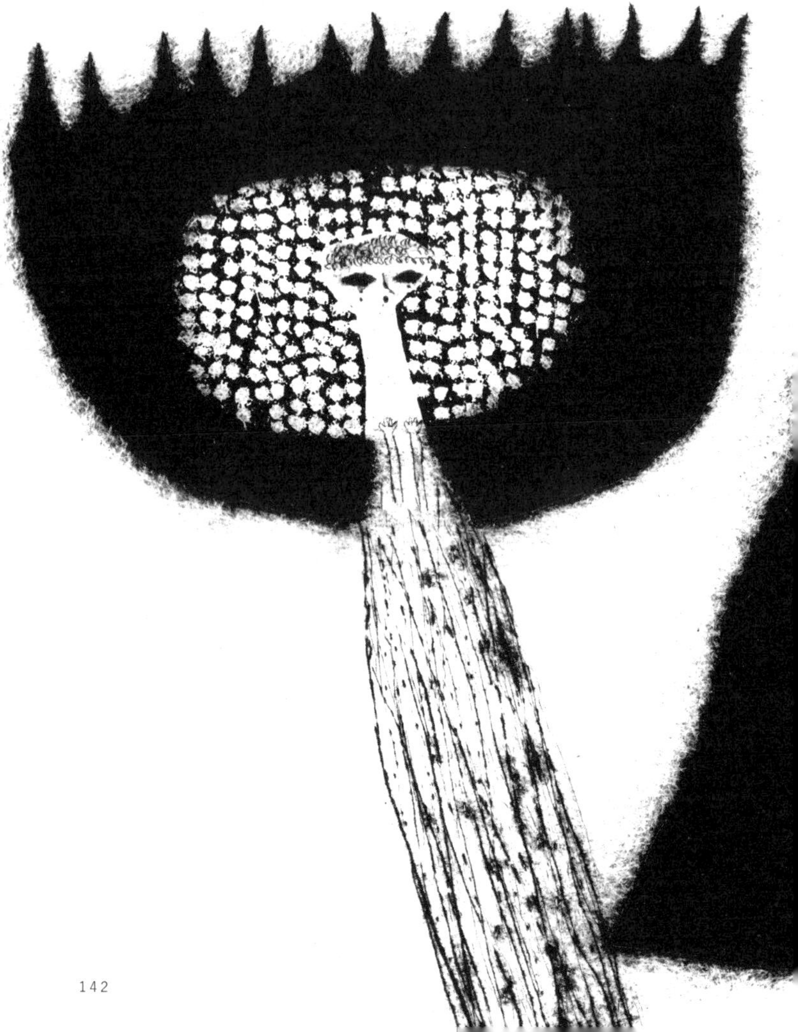

被愛的人

可愛がられるひと

「被る」と書けばあまり嬉しくないもののイメージがある。

漢語ではこれが単に受動態をつくるために使われる。

ところで愛を被るとはどういうことだろうか。

受け取るものが多ければ、それだけ幸せになれるというわけでもないらしい。

愛される力が強すぎると、どんな場面も、情愛のやり取りとか、

それを受けとるかどうかばかり前に出てきて、そこから抜け出せなくなる。

そういうことが続くと、どこか空虚で、すこし湿った、沈みがちなひとになる。

そうしてまた、そんな風貌に人々が惹かれていく。

こうなると、愛もあまり明るいものでなくなって、

呪いのように、一方的に押しよせてくるだけになっていく。

絶対

按、絶対孤立自得之義、対又作持、義同、絶対之字出于法華玄義

ここでは西欧の言葉に、漢籍から引いてきたもの字を充てている。
もとはラテン語系の言葉でab-（そと）+solvere（ゆるむ）だから、
柔らかく訳せば「たゆまぬ」くらいだろうか。
抽象的な語ほど外国語由来のことが多い。
これは世界共通で、
たとえば英語は概念語をフランス語からほとんど採っているし、
中国語もサンスクリット語の音訳に頼っている。

souvenir
こころおき

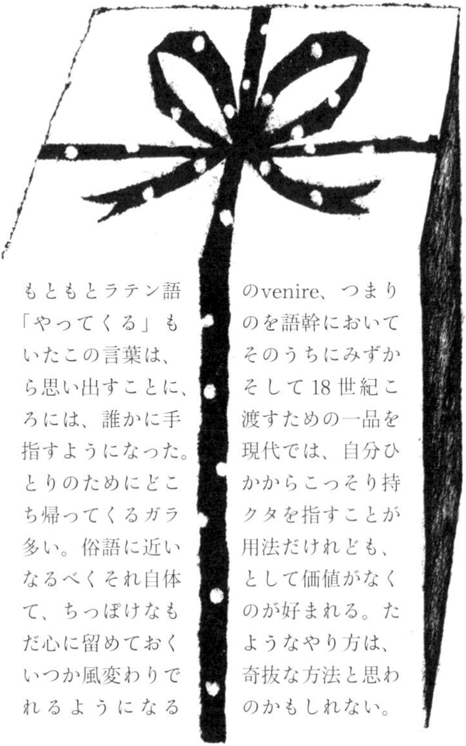

もともとラテン語のvenire、つまり「やってくる」ものを語幹においていたこの言葉は、そのうちにみずから思い出すことに、そして18世紀ころには、誰かに手渡すための一品を指すようになった。現代では、自分ひとりのためにどこかからこっそり持ち帰ってくるガラクタを指すことが多い。俗語に近い用法だけれども、なるべくそれ自体として価値がなくて、ちっぽけなものが好まれる。ただ心に留めておくようなやり方は、いつか風変わりで奇抜な方法と思われるようになるのかもしれない。

IMCOMPREHENSIBLE

ここまで見てきたように、
翻訳というのはかなり多義的で、
それだけに自由である。
人間の意志にさえ縛られていなくて、
時の流れでそうなったとしか
言えないような変化もたくさんある。

だから「翻訳できない言葉」に出会ったとき、
ふと立ち止まってみてほしい。
自分が理解しようとしていないだけじゃないかとか、
あるいは、
まだ機が熟していないというだけではないか、と。

翻訳不能な

翻訳できない言葉なんてないのだ。
これが言いたくて、私はこの本を書きました。

かきとめることに異様なくらいの執念をもつひとがいる。
あまり数は多くないけれども、いつの時代にもいるようだ。

中学生のとき、
「マイスター・フランツの日記」というのを読んだことがある。
今から500年前、
ドイツの片田舎で雇われていた処刑人が書き溜めた記録。
（どうしてそんな本が図書室に並んでいたのだろう）

最初には刑を受ける人の名前、罪状、執行方法だけであったのが、
40年に及ぶ日々の中で次第に、書きぶりが濃く深くなっていく。
衣擦れの音、祈りの文言、観衆のざわめきが書きつけられていく。
まるで処刑道具しか持たなかった無学の人が、
筆記具の魔力に憑かれたように。

これと似たような印象を、
かび臭い辞典を眺めているときに感じることがある。
ことばが何万個も並んでいて、一つずつ語釈を与えられている。
辞書なんて百年もしないうちに、歴史の遺物となってしまうのに。
項目が、墓標に思えるときがある。

ことばの意味はたえず変わっていく。
書き留められるのは、その一瞬にもっていた意味だけだ。
そうと分かっていても、かきとめることに私たちは執着する。
時が経てば失われると分かっているほど、
書き残さなくてはいけないような気分に私たちは追い立てられる。

―3年かけてある本を訳し終わったとき、
それまで重々しく光っていた原書が、
ふと、くすんだように見えた。
もとの本の持っていたものが、真新しく書き直されて、
もう一度だけ世に出るからかもしれなかった。
僕の頭にその時よぎったのは「成仏」の感触だった。

かきとめることで、ことばは文字になり、変化しなくなる。
軽やかに声帯から飛び出していく生きたことばからすれば、
死んでしまうくらいに辛いことかもしれない。
けれども紙に書きつけられたことで、かきとめられたことで、
ことばは人間から自由になって、世に漂うことができるようになる。

成仏というほかに、これを言い表す方法があるだろうか？

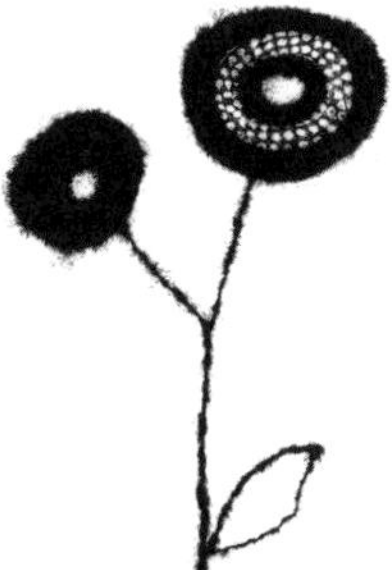

おわりに

日中は病院にいることが多い。楽な仕事でもないし洋書を漁るのは夜中になる。遅くなって白光を浴びると眠れないのでいつも薄暗くしてある。コンピュータを点けないのも同じ理由。辞書は読めるか読めないか、ぎりぎりの明るさ。詩集と学術書などは真白な紙を使っているので追いやすい。ペーパーバックは駄目だ。古書、特に百年前のアメリカの本なんか紙が黄色くて、優しくない。目が痛む。

サリヴァンの本を訳したときには、彼も宵っ張りだったらしく、気持ちが分かる気がした。６０年代の地下新聞をやったときには、ヒッピーはなんとなく昼間に息しているような雰囲気だった。一般に日中かかれた文書は華やかで、互いに手をつないでいる感じがする。深夜に筆が執られると、独り言と区別のない文書になりやすい。その中間、たとえば夕暮れの頃に物書く人は少ないのではないか。格好よくいってみれば、執筆の二峰性。

部屋でひとり机に向かっていると、白衣を着ていて見聞きしたことを思い出す。

患者さんとの会話とか、割り込んできた電話とか。その日のうちにあったことが背景あるいは、足元ないし手元にあってテキストに溺れることを戒めてくれる。言葉が、ただでさえ遠く、時日に焼けて紙魚になっているのが、日々の営みから浮き上がってしまうのを抑えてくれる。いつもの現実に足をつけていなかったらあっと言う間に、流されたブイみたいにぷかぷか、何もできなくなるのが怖い。

読んでいるときの発見を書き留めるのも実のところは、組んだ足場を堅牢にする行為だったのかもしれない。前書きではなにやら勇ましく書きましたけれども…

翻訳をすることと精神科医であることの結びつきについて少し書いておこうか。

文章には２種類がある。書いてあるまま読まれるもの、そして、読み手の解釈を要求するもの。例えば交通標識は前者。行政文書なんかは後者のいい例である。恋人同士であっても仲睦まじいときには交わされる言葉はシンプルである。ただ関係がそのうちに複雑になってくると、（ずっと単純に結びついただけの関係というのはそもそもありえないけれども）対話にはクリシェとか、裏の意味とか、皮肉が混じるようになる。この変化にはおおよそ例外がなく、子供が成長するにしたがって語彙を増やすのと似ている。

解釈が要るとき、そのための手掛かりや手順は普通、あらかじめ決まっている。裁判所の判決文を文字通りに読むことはできなくても、読む人が読めば、意味はぴたりと定まる。独特な語順とか用語は理由があって使われる。確からしさとか留保条件とか、過去にあった事件の参照ないし再検討。そのまま読めないのは、指示されているものが多くて、決まった手続きをまだ踏んでいないからである。

私見だけれども翻訳家のやっていること精神科医のやっていることはこの原則に唯一（唯二か？）外れることだと思う。文学作品は元々が身を乗り出す読み方を求めているもので、それを写しとる事はいわば二重暗号であって、もとにあった読み取り方の共通認識は失われている。
著者はもはや読者と同じ世界にいない。

精神科医のやることが原則に外れるのは
これと違った理由だ。心を病むことが、
コミュニケーションであることはない。
あくまで結果として生じた変化である。
(難しいのは、精神病を体験することが
意味を直接的に受け取ることになるから
だけれど…これは長い話になるから…)
たとえば夢を見ることが、昼間にあった
事件の第二幕であることは稀ではない。
でも夢それ自体が、特定の誰かに向かう
メッセージであることはない。見た夢を
語っても、それがどれだけ印象的でも、
いつも他人に伝えることができないのは
このせいじゃないだろうかと、ひそかに
僕は考えている。(ただし…こんなことを
考えていると、患者さんは浮かばれない、
少なくとも自分が困っているときには、
目の前の相手は困っていない方がいい、
電気工事士が太陽とかオーロラについて
悩まないように、素知らぬ素振りだ…)

行きつ戻りつの痕なのです、この本は。

参考文献

齋藤秀三郎『熟語本位 英和中辞典 新増補版』（岩波書店）1010,1017,1268 頁

貝原益軒『日本釈名』（巻之上「時節」より）

京都府警察部『隠語輯覧』80 頁

中島文雄編『岩波英和大辞典』（岩波書店）343 頁

新村出編『言苑』（博文館）88 頁

リービ英雄『英語で読む万葉集』（岩波新書）35 頁

R.ヒューズ（木島始訳）『ある金曜日の朝』（飯塚書店）137 頁

T.S.エリオット（西脇順三郎訳）『エリオット詩集』（新潮社）79 頁

W.シェークスピア（坪内逍遥訳）
『新修シェークスピヤ全集第２５巻ロミオとヂュリエット』（中央公論社）16 頁

"After the Quake," Haruki Murakami (trans. by Jay Rubin), Random House, p84.

"A new way to demonstrate "wetter" water,"
E. A. Hauser and H. H. Reynolds, Journal of Chemical Education 1939 16 (8), 392.

"Bodily changes in pain, hunger, fear, and rage; an account of recent researches into the function of emotional excitement," W. B. Cannon, D. Appleton & Company, p211.

"Selected Poems of Masaoka Siki," Siki Masaoka (trans. by Janine Beichman), The University of Virginia Library Electronic Text Center, p91.

阿部大樹（あべ・だいじゅ）

1990年、新潟県に生まれる。精神科医。松沢病院、川崎市立多摩病院に勤務。訳書にH.S.サリヴァン『精神病理学私記』（日本評論社、第6回日本翻訳大賞）、R.ベネディクト『レイシズム』（講談社学術文庫）。「サンフランシスコ・オラクル」誌の日本語版翻訳・発行を行う。

タダジュン

版画家・イラストレーター。版画の技法を使い、書籍や雑誌のイラストレーションを中心に活動中。作品集『Dear, THUMB BOOK PRESS』をSUNNY BOY BOOKSより刊行。

翻訳目録

2020 年 12 月 15 日　初版第 1 刷発行

著者　阿部大樹
挿絵　タダジュン
装丁　宮古美智代
編集　平野さりあ

発行者　安在美佐緒
発行所　雷鳥社
〒 167-0043
東京都杉並区上荻 2-4-12
TEL 03-5303-9766
FAX 03-5303-9567
HP http://www.raichosha.co.jp
E-mail info@raichosha.co.jp
郵便振替　00110-9-97086
印刷・製本　シナノ印刷株式会社

ISBN　978-4-8441-3773-3　C0095